DÉVELOPPEMENTS DURABLES

Les Éditions Autrement et les auteures tiennent à remercier pour leurs cartes pages 11, 24, 41, 43, 49, 50, 53, 61, 63, 68, 71, 78, 79, 91, 107, 116, 117 (haut), 125, 135, 138, 145, 165, 168, 176, 183, 199, 208, 209, 220, extraites des. «Atlas Autrement», Guillaume Balavoine, Madeleine Benoit-Guyod, Aurélie Boissière, Eugénie Dumas, Claire Levasseur, Cécile Marin, Cyrille Suss.
Les cartes des pages 31, 99, 117 (bas), 134, 153, 169, 188, 189 et 225 ont été réalisées par Madeleine Benoit-Guyod pour cet ouvrage.

Conception graphique : Studio Autrement, Kamy Pakdel

Mise en page : CW Design

Le suivi éditorial de cet ouvrage a été assuré par Laure Flavigny.

DÉVELOPPEMENTS DURABLES

Tous les enjeux en 12 leçons

Yvette Veyret et Jacqueline Jalta

Préface de Michel Hagnerelle

SOMMAIRE

AVANT-PROPOS

Développements durables. Tous les enjeux en 12 leçons permet de s'interroger sur le contenu complexe et souvent discuté de la notion de développement durable. Notre but est de mettre en évidence les idées reçues qui sont souvent présentées comme les fondements mêmes de cette notion. Or beaucoup de ces idées reçues constituent des pièges à éviter dans l'analyse de la durabilité.

L'approche du développement durable envisagée ici s'inscrit pleinement dans l'analyse géographique qui place les sociétés au cœur de sa démarche.

La lecture des différents thèmes (population, pauvreté, éducation, santé, risques, eau, atmosphère, énergie, océan, alimentation, ville) permet de décliner le développement durable en l'intégrant aux questions de géographie à différentes échelles (d'un pays à une ville)... sans oublier la dimension historique.

Cet ouvrage ne prétend pas à l'exhaustivité, mais il souligne des aspects essentiels pour l'analyse du développement durable.

Yvette Veyret et Jacqueline Jalta

PRÉFACE
DÉVELOPPEMENTS DURABLES : QUELLE LEÇON !

Nous voici éclairés. Comment s'y retrouver dans la profusion médiatique qui accompagne les grands chantiers actuels du développement durable : changements climatiques, déséquilibres de développement, gestions des catastrophes, taxe carbone, Agenda 21... ? Cet ouvrage nous livre les clés de lecture pour en décrypter les enjeux et comprendre comment « entrer en développement durable ».

Il nous montre que le développement durable est une autre façon de lire et de penser le monde, une ambition commune de l'Humanité, une « utopie constructive » pour des sociétés qui cherchent à se donner les moyens de mieux vivre aujourd'hui sur la planète et de bien y vivre demain. Mais il nous dévoile aussi le développement durable dans l'extrême diversité de sa mise en pratique quotidienne ; c'est ce qui explique que les auteurs aient choisi de conjuguer le développement durable au pluriel et de nous faire toucher du doigt les logiques multiples d'aménagement des territoires au travers d'excellentes études de cas à toutes les échelles.

Douze leçons pour donner à penser sans « donner de leçon ». Yvette Veyret et Jacqueline Jalta cherchent avant tout à susciter la réflexion et des questionnements auxquels elles n'apportent aucune réponse convenue et formatée. En focalisant leur regard sur de grands questionnements du monde contemporain, elles mettent en lumière la contribution de la géographie à la mise en application d'une « démarche de développement durable » : approche globale par la mise en résonance systémique des volets environnementaux, économiques et socioculturels, décryptage des stratégies territoriales et du jeu des acteurs, mise en perspective dans le temps, déconstruction des idées reçues et mise en relief des pièges à éviter...

Cet ouvrage était nécessaire. On doit saluer le choix volontariste des éditions Autrement d'avoir inscrit le développement durable dans leurs lignes éditoriales majeures. Ces dernières années, de nombreuses publications, parmi lesquelles on compte toute une série d'atlas de grande qualité (dont l'*Atlas des développements durables*), ont apporté un regard très novateur aux problématiques de développement durable et une contribution décisive à leur diffusion. À n'en pas douter, cet ouvrage constitue une pierre angulaire de cet édifice éditorial.

Chacun y trouvera matière à réflexion pour se fixer un horizon personnel. Professeurs et acteurs du monde de l'éducation pourront en faire aussi un outil de référence précieux pour aider leurs élèves et leurs étudiants à se construire une pensée de l'avenir qui s'inscrive dans le « raisonné », le « soutenable » et le « durable » ; c'est certainement l'une de nos missions éducatives essentielles.

Michel Hagnerelle
Inspecteur général d'histoire et de géographie

Introduction

QU'ENTEND-ON PAR DÉVELOPPEMENT DURABLE ?

Le développement durable est défini dans le rapport Brundtland comme le développement qui permet aujourd'hui de satisfaire nos besoins sans compromettre la possibilité pour les générations futures de satisfaire les leurs. Le développement durable est-il synonyme de protection de la nature ? Qu'est-ce que la durabilité ? Comment la définir ? Comment envisager le développement durable dans les pays pauvres, dont une grande partie de la population (plusieurs milliards d'habitants) est loin de disposer des fondements mêmes d'une vie digne ? En quoi la géographie est-elle impliquée dans le développement durable ?

LE DÉVELOPPEMENT DURABLE, UNE NOUVELLE UTOPIE ?

Le développement durable n'est «ni croissance infinie, ni Éden primitif», selon Christian Lévêque (2008), c'est en fait une forme de compromis entre des conceptions émanant des militants de l'écologie politique et celles émises par des économistes partisans du développement. Il s'agit donc, pour aujourd'hui et pour le futur, de concilier développement économique (si l'on suit le rapport Brundtland), équité sociospatiale et usage raisonné des ressources de la planète.

Une manière de penser le monde, le développement durable est au plein sens du terme un objet politique. Ce n'est en rien une solution ou des solutions toutes faites qui répondraient aux questions qui se posent sur la planète. Le développement durable peut s'envisager comme un problème ou des problèmes à résoudre, des contradictions à dépasser. C'est une sorte d'utopie porteuse d'idéal, dont l'ambition est d'établir un meilleur ajustement entre trois pôles (économique, écologique et social).

Les problèmes à résoudre apparaissent aisément quand on effectue un simple constat de la situation des sociétés sur la planète, quand on pointe l'ampleur des inégalités entre les populations qui consomment plus de 3 200 calories par jour et celles qui en disposent de moins de 2 300, entre les populations dont l'espérance de vie dépasse 80 ans (Japon, France...) et celles qui n'atteignent pas 38 ans (Zambie).
Le développement durable doit d'abord contribuer à réduire ces inégalités (alimentation, accès à l'eau, traitement des eaux usées, des déchets, éducation, santé) qui concernent plusieurs milliards d'hommes. Il doit permettre à chacun d'accéder à

une vie décente, à la connaissance, à la culture et à la démocratie. Un tel objectif nécessite de penser ou de repenser les modalités du développement. Fondé sur les principes présentés à la fin des années 1980 dans ce que l'on nomme le «consensus de Washington», le développement est envisagé dans le cadre d'une économie néoclassique ou néolibérale dont les fondements sont la protection du droit de propriété, la concurrence par les marchés, une monnaie saine, la viabilité de la dette, la privatisation, la déréglementation. Les conceptions des économistes néo-classiques ou néolibéraux ne font pas l'unanimité et d'autres courants de pensée existent en économie, qui défendent d'autres modes d'accès au développement et au développement durable.

L'indispensable sortie du mal-développement ne peut se faire en détruisant les ressources de la Terre; intervient donc le volet environnemental ou écologique qui nécessite un usage mesuré et raisonné des ressources renouvelables (eau, air, sols, biodiversité) ou non renouvelables (énergies fossiles, minerais).

Les trois piliers du développement durable

DD
Développement durable
Source: R. Barbault, A. Cornet, J. Jouzel,
G. Mégie, I. Sachs, J. Weber, *Johannesburg.
Sommet mondial du développement durable.
Quels enjeux? Quelle contribution des
scientifiques?*, Paris ADPF, 2002.

Modèles

économicocentré
(Stockholm, 1972)

écolocentré
(Rio, 1992)

sociocentré
(Johannesburg, 2002)

Cette association complexe du social, de l'économique et de l'écolo-gique doit se lire pour le présent, mais aussi pour les «générations futures», autrement dit dans la durée. Il s'agit donc de se projeter dans le temps afin de savoir ce que l'on doit protéger aujourd'hui pour l'avenir. Ce travail de projection est extrê-mement difficile: qu'aurait-on choisi de protéger, il y a deux siècles, si la même question avait été posée alors? Comment intégrer dans ces réflexions le progrès technique, toujours nécessaire pour atteindre des modes de consommation plus économes, pour élaborer des produits de remplacement des ressources épuisables (par exemple des énergies renouvelables)?

L'indispensable transmission des ressources aux générations futures signifie-t-elle que les générations actuelles doivent en cesser toute utilisation? Autrement dit, au nom des générations futures, faut-il mettre «sous cloche» les différentes ressources de la planète? Si leur usage est possible, comment définir les seuils d'utilisation de ces ressources?

LES COMPOSANTES DU DÉVELOPPEMENT DURABLE

Chacune des trois composantes du développement durable ainsi évoqué demande réflexion.

En termes écologiques, la gestion raisonnée et mesurée des ressources de la planète n'est pas totalement partagée par ceux qui prônent une forme de protection excluant l'usage des écosystèmes par les sociétés. Cette conception a été à l'origine de la création de parcs et de réserves desquels les hommes et leurs activités sont exclus.

Les nombreux discours sur les forêts «primaires», considérées comme non ou très faiblement retouchées par les hommes, témoignent de la recherche de l'Éden, sorte de paradis sur Terre qui relève de l'impossible. La planète est totalement «anthropisée» depuis des millénaires. Il n'y a pas de temps ou de point zéro qui constituerait la référence, la situation idéale à retrouver. Ce point zéro ne peut exister: d'une part parce que les actions des sociétés – souvent très anciennes – ont contribué à modifier l'ensemble des écosystèmes planétaires, y compris la forêt amazonienne la plus reculée; d'autre part parce que la Terre elle-même et ses différentes composantes (air, climat, eau...) évoluent sans cesse. Sans remonter aux temps géologiques les plus anciens (il y a des milliards ou des centaines de millions d'années) et en se cantonnant aux deux derniers millions d'années, la planète a enregistré d'importantes modifications climatiques (du chaud au froid, du sec à l'humide) accompagnées de modifications des sols, du bilan d'eau, du niveau marin, du relief, de l'érosion; tout cela à diverses échelles, spatiale et temporelle. Penser un temps zéro à retrouver relèverait d'une conception cyclique ou fixiste désormais totalement récusée.

Protéger la nature et ses ressources est certes indispensable et fait consensus, mais pour qui protéger? Selon quelles modalités? Comment concilier protection et usage?

La protection de la nature ne peut être une fin en soi, elle doit toujours être conduite en étroite relation avec la demande des sociétés, demande économique, culturelle ou religieuse. La conception de la nature et les usages que les hommes en font varient avec la culture et l'histoire des sociétés envisagées. Il ne peut donc, dans ce domaine, y avoir un modèle unique de gestion applicable partout.

S'agissant de l'économie, il n'y a pas davantage de modèle unique à mettre en œuvre pour aller vers le développement durable. Si nous avons évoqué le modèle de l'économie néolibérale, c'est qu'il fonde les pratiques des institutions internationales – Banque mondiale, Fonds monétaire international (FMI) –, de la plupart des États et des organisations non gouvernementales.

– *L'économie néolibérale ou néoclassique* définit une durabilité «faible». Les tenants de cette approche considèrent que la technique permettra de créer des ressources de substitution remplaçant les ressources épuisées. Il serait donc possible de consommer aujourd'hui le capital naturel puisque les générations futures recevraient en compensation plus de connaissances, plus d'équipements et de techniques. Cependant, la substitution peut-elle être généralisée? Le progrès technique doit permettre un meilleur usage des ressources, la réduction des pollutions et des nuisances, mais il ne peut pas remplacer les écosystèmes les plus complexes.

Pour atteindre de tels objectifs dans le cadre de l'économie néolibérale, il faut donner un prix aux services que rend la nature aux sociétés, ce qui aboutit à une marchandisation de la nature. Il faut aussi mettre en application le principe pollueur-payeur à l'origine des écotaxes, du marché des droits à polluer. L'économie néolibérale ou néoclassique se décline également dans le cadre de ce que l'on nomme l'«économie de la fonctionnalité» et l'«économie circulaire», qui concourent toutes deux à réduire les effets négatifs des activités économiques en valorisant, en recyclant les sous-produits (économie circulaire) et en substituant le service à la vente (économie de fonctionnalité ou de service). Il s'agit dans ce dernier cas de réduire les impacts environnementaux des activités économiques en favorisant la fabrication de produits durables et non jetables, en ralentissant le renouvellement des équipements. Cela relève donc de la lutte contre le gaspillage.

– *La durabilité «forte»* liée au courant de l'«économie-écologie» constitue une autre approche économique, une autre conception du développement durable pour laquelle la croissance économique est responsable d'exclusion sociale, de destruction des milieux naturels. Ce courant de pensée considère que croissance et développement durable sont antinomiques. Les tenants de l'économie-écologie constatent une ponction continue sur les ressources naturelles, des pollutions toujours présentes et l'augmentation de la richesse produite dans le monde alors même que les inégalités continuent à se creuser. Les solutions préconisées doivent contribuer à ce que le taux d'exploitation des ressources renouvelables n'excède pas leur taux potentiel de régénération. Les taux d'émission des déchets doivent être égaux aux capacités du milieu à absorber ces pollutions. L'exploitation des ressources non renouvelables doit s'effectuer à un rythme égal à celui de leur remplacement par des ressources renouvelables.

– *Enfin, pour les économistes les plus radicaux, tenants de la « décroissance »,* il ne peut y avoir de substitution possible entre capital naturel et artificiel. Il faut envisager de réduire nos demandes en ressources. Ce courant – qui regroupe en réalité plusieurs conceptions de la décroissance – insiste aussi sur de nouvelles pratiques (moins de gaspillage…), met en cause la science et la technique (puisqu'elles seraient responsables des dégradations principales, des pollutions…) et préconise parfois un retour à des modes de vie « d'antan ». Pour les défenseurs les plus fervents de la décroissance, le terme même de développement durable est inacceptable…

Le volet social est-il plus aisé à définir ? Il doit conduire vers plus d'équité entre les sociétés et entre les hommes. Le partage équitable des ressources implique-t-il que les riches donnent aux pauvres, que le modèle des pays riches soit appliqué dans les pays en développement ? Le rapport Brundtland insiste sur la satisfaction des besoins : qu'entend-on par « besoins » et comment définir les besoins qui forcément diffèrent grandement selon que l'on considère un individu moyen vivant à New York ou à Londres, ou un pauvre de Dacca ou de Brazzaville.

LES PAYS DU « SUD » ET LE DÉVELOPPEMENT DURABLE

Les pays du Sud, qui regroupent les trois quarts de l'humanité, doivent intégrer le développement durable si l'on veut que celui-ci contribue à une meilleure gestion, à un usage raisonné de la planète tout entière par les sociétés qui l'occupent. Le développement durable, comme en témoignent ses origines, ne peut être que global.

Issu des mouvements de protection de la nature apparus en Europe et aux États-Unis dans le courant du XIXᵉ siècle, le développement durable a acquis ses lettres de noblesse lors de la conférence de Rio en 1992. Ces mouvements ou organisations non gouvernementales (ONG) – Union internationale pour la conservation de la nature (IUCN), Sierra Club, World Wide Fund for Nature (WWF), etc. – ont insisté, aux côtés de l'Organisation des Nations unies (ONU), sur la nécessité, pour protéger la nature et ses ressources, d'instaurer des solutions globales venant d'en haut et qui seraient applicables et appliquées partout selon les mêmes principes. Cette conception du développement durable qui impliquerait une sorte de gouvernement supranational établissant ce qui est bon pour la planète selon un modèle que l'on nomme en anglais *top-down* (du « haut vers le bas ») suppose que l'on puisse imposer en tout lieu les mêmes modes de gestion de la nature. Or cette conception globale se heurte à la variété des situations économiques, sociales, culturelles, au poids de l'histoire des sociétés. Il faut donc accorder au local une grande place. Si la diffusion des principes du développement durable est nécessaire, dans la réalité, ce sont des modes de développement durable spécifiques aux différentes sociétés qu'il faut envisager de mettre en œuvre à des échelles plus ou moins fines (régionales, locales). Le développement durable implique l'adhésion pleine et entière des populations, l'appropriation du concept et des pratiques adaptées. Or on est encore loin d'un tel objectif, notamment dans les pays en développement.

C'est dans les pays du Sud que se pose le plus fortement la question du développement durable. Les pauvres sont souvent considérés comme responsables d'importantes dégradations de l'environnement dans lequel ils prélèveraient sans limites les ressources dont ils ont besoin, telles que le bois.

Les pays du Sud ont, comme le souligne Sylvie Brunel (2007), à «faire face à un triple défi: la lutte contre la pauvreté, l'indispensable transformation sociale et économique, la gestion raisonnée des ressources». La même auteure distingue trois familles de pays en développement dans leurs rapports au développement durable.

- - - - - - - -

TROIS FAMILLES DE PAYS EN DÉVELOPPEMENT

Là où les ONG environnementales, émissaires des pays développés, règnent en maîtresses du territoire, les préoccupations écologiques s'imposent. C'est le cas des pays insulaires du Pacifique, mais aussi de l'Afrique... sauf s'il s'agit d'exploiter le pétrole, car l'intérêt économique de la rente «noire» est jugé supérieur à celui de la rente «verte».

Là où le développement économique est déjà avancé et l'État puissant, la question environnementale commence à être intégrée aux préoccupations publiques et devient un paramètre des politiques. C'est le cas des pays émergents [...]: Chine, Corée du Sud et autres pays d'Asie orientale, Inde, Brésil, Argentine et une grande partie de l'Amérique latine, pays du Golfe...

Là où la pauvreté et le sous-développement n'ont pas désarmé, seul l'objectif de croissance, malheureusement encore lointain, prime, au détriment de la qualité environnementale et des conditions de vie. C'est le cas des pays les moins avancés situés en dehors de la ceinture forestière du monde tropical humide (qui bénéficient eux de la rente verte): Sahel, Haïti, Asie du Sud-Est (sauf l'Inde), pays andins.

S. Brunel, in *Le Développement durable*, sous la direction de Y. Veyret, Paris, Sedes, 2007.

- - - - - - -

Pour beaucoup de ces pays, les conceptions du développement durable venues des pays développés apparaissent comme un «luxe» de riches largement inaccessible. La volonté de mise en œuvre par les organismes de l'ONU ou par les ONG du Nord d'une politique de développement durable (protection de la forêt, création de réserves…) est parfois dénoncée comme une forme d'ingérence inacceptable des pays riches dans les pays en développement.

L'APPROCHE GÉOGRAPHIQUE ENTRE GLOBAL ET LOCAL

Tout ce qui précède force à se demander en quoi la géographie est concernée par le développement durable ? La géographie place les sociétés au cœur de ses analyses. Son approche insiste sur les rapports complexes, non déterministes, que les sociétés établissent avec la nature et ses ressources. La géographie permet de montrer, en s'appuyant sur des références historiques, combien ces rapports ont évolué avec le temps, combien la nature a été diversement perçue selon les époques. La vie dans le passé, pourtant proche de la nature pour le plus grand nombre, était moins idyllique qu'il n'y paraît.

La géographie intègre à différentes échelles le développement durable à l'aménagement des territoires. Par sa dimension géopolitique, l'analyse des jeux d'acteurs, les choix de gestion, la géographie est bien au cœur du développement durable décliné en développements durables selon les attentes et les réponses des sociétés.

La géographie fait du développement durable un concept opérationnel dans toutes ses analyses de gestion de l'espace. S'agissant des espaces agricoles du Nord comme du Sud, la géographie analyse pratiques, modes de vie des agriculteurs, modes de production et de commercialisation, ce qui permet de saisir les possibilités pour ces agriculteurs de vivre de leur travail et plus largement de nourrir la population de la planète. Cette analyse doit aussi prendre en compte les aspects environnementaux : types de gestion de l'eau et des sols, ainsi que la qualité du produit, et au-delà la gestion des paysages et plus largement encore de l'environnement (J.-P. Charvet, 2008 ; S. Brunel, 2008).

La ville n'échappe pas davantage à la réflexion sur le développement durable. Quelle ville envisager pour demain ? Ville étalée, ville dense… ? Grande ville ou ville moyenne ? Quelle place accorder à la périurbanisation, aux déplacements des populations vivant en périphérie et travaillant en ville ou l'inverse ? La géographie permet de réfléchir à ces questions, en gardant à l'esprit les mutations considérables qui ont marqué les villes occidentales à la fin du XIXe siècle et au cours du XXe siècle. Les villes occidentales ont vu disparaître les quartiers insalubres, très densément peuplés, au profit de quartiers plus aérés, ponctués de parcs et de jardins, où la qualité de vie s'est améliorée au moment où reculaient, voire disparaissaient, certaines épidémies. Beaucoup de villes occidentales peuvent encore améliorer la qualité de l'air, la gestion des risques naturels et technologiques, les inégalités sociospatiales. La situation est autre dans les villes des pays en développement où se posent les questions de l'accès à l'eau potable, de la gestion des eaux usées, de l'habitat insalubre, des risques, où les inégalités sociales et spatiales entre quartiers sont criantes.

Le développement durable doit être mobilisé quand il s'agit d'envisager les modes de gestion des ressources, eau, sols, air, forêts et bois, la gestion des zones côtières ou celle du tourisme en montagne…

Autrement dit, toutes les questions géographiques intègrent la réflexion sur le développement durable. Comment mieux gérer, mieux aménager pour plus de justice, pour une meilleure qualité de vie des hommes, pour une bonne gestion des ressources ? La géographie apporte des réponses nuancées, adaptées à chaque question. Celles qui concernent l'Amazonie diffèrent forcément de celles qui vaudront pour le Congo ou certaines régions chinoises. Dans chaque cas, aux échelles choisies, il faut prendre en compte la culture, l'histoire, les modes de vie, l'intégration au système mondialisé des sociétés et trouver des réponses adaptées en termes de développement durable.

01

IDÉES REÇUES, PIÈGES À ÉVITER

→   Le développement durable, luxe de riches.

→   Le développement durable, synonyme de protection de la nature.

→   La technique et la science considérées comme exclusivement sources de méfaits.

COMMENT LE DÉVELOPPEMENT DURABLE EST-IL

MIS EN ŒUVRE EN EUROPE ET EN FRANCE ?

Le développement durable, qui fait l'objet de nombreux débats évoqués précédemment, commence à être mis en pratique dans les pays développés, c'est désormais un concept opératoire. Pour certains, il se résume à la protection de la nature, mais pour le plus grand nombre, il fait partie intégrante des politiques d'aménagement et de gestion des territoires. Diverses directives européennes et des lois françaises se rapportent au développement durable et imposent sa mise en œuvre. L'éducation au développement durable tend à diffuser ce concept et à sensibiliser le plus grand nombre. Les firmes industrielles intègrent le développement durable ; il en est de même pour les villes et leur administration. Cette large prise en compte est notamment le fait de l'Europe. Les États-Unis ne tournent pourtant pas le dos au développement durable : de nombreuses initiatives voient le jour dans ce pays.

• Quelles sont les modalités de mise en œuvre du développement durable et quels en sont les acteurs ?
• Tous les pays riches ont-ils les mêmes approches du développement durable ?

LE DÉVELOPPEMENT DURABLE OMNIPRÉSENT
DANS LES PAYS RICHES

Sous l'influence croissante des organisations non gouvernementales (ONG), le « modèle » de développement durable présenté en 1992 lors de la conférence de Rio a constitué une sorte de cadre qui a commencé à être mis en œuvre dans les pays riches. Ce modèle élaboré par des acteurs du Nord (tels que les ONG de protection de la nature) privilégiait, à la fin du XXe siècle, les aspects écologiques. Ainsi, dans les pays industrialisés, notamment en Europe, la politique générale a été « verdie ». Mais l'analyse s'est peu à peu élargie : la réduction des excès productivistes de la période des Trente Glorieuses en Europe demande aujourd'hui de nouvelles pratiques ; de même, aux États-Unis, l'*American way of life* semble de plus en plus difficile à poursuivre. Il s'agit donc, dans les pays développés, de réduire le gaspillage, d'envisager une meilleure utilisation des espaces et des ressources disponibles.

Aujourd'hui, la mise en œuvre d'une politique de développement durable est le fait des pays du Nord où l'essentiel de la population satisfait ses besoins vitaux (se nourrir, se soigner, manger à sa faim et étudier), où des efforts pour réduire les pollutions et les nuisances, protéger les espaces naturels commencent à porter leurs fruits, où des financements permettent la mise en œuvre de nouveaux modes de gestion des ressources et des milieux. Ces progrès effectués depuis quelques décennies ne sont pas parvenus à réduire les inégalités sociospatiales qui demeurent dans les pays riches. Or la mise en œuvre du développement durable devrait contribuer à des évolutions radicales : réduire les inégalités entre régions, entre quartiers, entre individus par des politiques spécifiques, améliorer la qualité de l'air, des sols, des eaux, protéger la biodiversité, envisager une ville dense moins consommatrice d'espace et d'énergie… Les pays riches insistent aussi sur l'éducation au développement durable.

Le développement durable nécessite des modes de gouvernance impliquant la totalité des acteurs concernés, notamment les citoyens. Il nécessite donc un cadre démocratique.
À l'échelle globale, les préconisations des très nombreuses conférences internationales, sur l'eau, la population, la forêt, devraient servir de bases à la mise en œuvre de la politique de développement durable, déjà définie dans le cadre de l'Agenda 21 élaboré lors du Sommet de la Terre à Rio. La prise en compte du changement

climatique par le biais du protocole de Kyoto destiné à réduire les rejets de gaz à effet de serre relève d'une telle conception globale déclinée diversement par les États. Pourtant, tous les États de la planète ne sont pas signataires du protocole, ce qui en réduit la portée. Tous n'ont pas les mêmes réponses en matière de développement durable.

LA PLACE DE L'EUROPE ET DE LA FRANCE DANS LE DÉVELOPPEMENT DURABLE

La politique de l'Union européenne est concernée par le développement durable. Ces préoccupations sont présentes dans la Politique agricole commune (PAC). En matière de protection des espaces naturels, la Commission européenne a promulgué la directive Oiseaux en 1979 et la directive Habitats en 1992 pour la conservation des habitats naturels et la préservation de la faune et de la flore sauvages. Les États membres ont dû procéder à des inventaires destinés à établir des zones de protection constituant le réseau européen Natura 2000 pour lequel les États ont à proposer des plans de gestion et des mesures appropriées.

En 1994, la Commission européenne et la ville d'Aalborg au Danemark ont organisé, avec l'appui d'ONG, la Conférence européenne des villes durables à l'issue de laquelle a été adoptée la charte d'Aalborg. La directive-cadre sur l'eau (2000) fixe des objectifs de qualité de l'eau à l'horizon 2015. Le règlement Reach (2007) indique que les industriels doivent faire la preuve de l'innocuité des produits utilisés ou fabriqués pour la santé et l'environnement.

En France, la mise en œuvre d'une politique de développement durable relève de l'économie néolibérale. Elle est basée sur l'application de deux principes majeurs : le principe pollueur-payeur et le principe de précaution.

- - - - - - - -

LES PRINCIPES DE LA DÉCLARATION DE RIO

Le principe pollueur-payeur (principe 16)
En matière de protection de l'environnement, le pollueur doit supporter le « coût des mesures de prévention et de lutte contre les pollutions ». Les écotaxes illustrent ce principe. En France existent des taxes générales sur les activités polluantes (TGAP). Il s'agit par exemple de la taxe payée par les entreprises qui traitent des déchets ménagers, des déchets industriels dangereux, des lubrifiants, etc., qui émettent des substances dans l'atmosphère. Les redevances s'inscrivent dans la même logique : il s'agit de mesures de couverture des coûts pour les services environnementaux (redevances déchets, eau). Des permis d'émission

négociables ont été également instaurés dans le cadre de la mise en œuvre du protocole de Kyoto. Des mesures dites « positives » correspondent à des crédits d'impôts, des exonérations pour ceux qui mettent en application des pratiques moins polluantes, plus économes en énergie par exemple.

Le principe de précaution (principe 15)

Sur la base de ce principe, la Convention-cadre des Nations unies sur les changements climatiques (1992) précise que l'absence de certitudes scientifiques absolues ne doit pas conduire à différer l'adoption de mesures destinées à faire face aux risques de perturbations graves, voire irréversibles. Ce principe est intégré au droit communautaire et au droit français (1995). En cas de doute sur la qualité d'un produit ou d'une action, il peut être mis un terme à cette activité ou à l'usage de ce produit. Poussé à l'extrême, ce principe risque d'empêcher toute innovation dans la mesure où on ignore quels pourraient être les effets futurs de certaines pratiques.

Depuis 2002, le développement durable est inscrit au cœur de l'action publique. Une stratégie pour le développement durable a alors été définie pour cinq ans. Elle affirme que le citoyen est acteur du développement durable, que celui-ci doit être intégré à l'aménagement et à la gestion des territoires et que les activités économiques doivent aussi être impliquées. L'État doit être également exemplaire et contribuer à renforcer la lutte contre la pauvreté dans les pays du Sud.

Depuis une vingtaine d'années déjà, la France s'est dotée d'un ensemble d'outils stratégiques, législatifs et réglementaires en matière de développement durable. Après des chartes de l'environnement qui ont vu le jour dans les années 1990, les agendas 21 locaux sont de plus en plus nombreux *(voir p. 24, Les Agendas 21 en cours)*.

QU'EST-CE QU'UN AGENDA 21 LOCAL ?

À la suite de la conférence de Rio en 1992 a été publié l'Agenda 21 global, un « code de bonnes pratiques » pour le XXIe siècle. Le chapitre 28 de l'Agenda 21 plaide pour la réalisation d'agendas 21 locaux.

Un agenda 21 local est un document stratégique et opérationnel, un projet de territoire, un programme d'action. Ce projet, souvent prévu pour dix à quinze ans, doit mettre en œuvre les principes du développement durable : gestion économe, équitable, bien intégrée du territoire et de ses ressources.

Ce projet – qui peut concerner une région, un département, une ville ou une communauté de communes, voire un quartier – nécessite d'abord de définir les

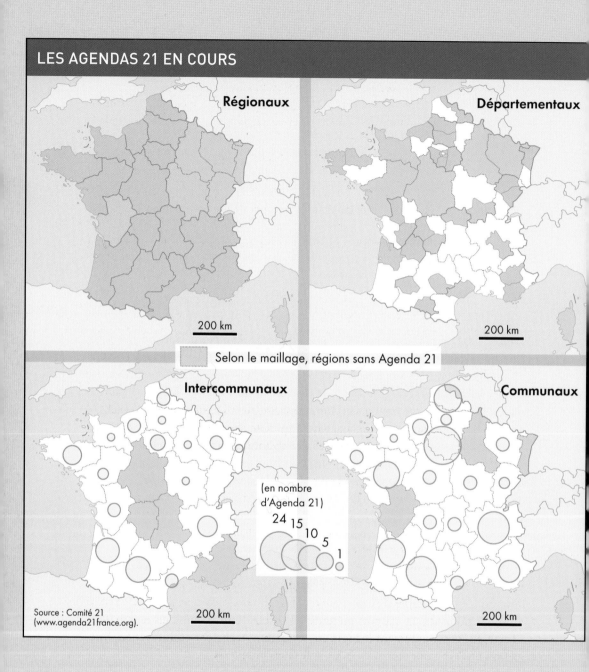

LES AGENDAS 21 EN COURS

Régionaux

200 km

Départementaux

200 km

Selon le maillage, régions sans Agenda 21

Intercommunaux

Communaux

(en nombre d'Agenda 21)

24 15 10 5 1

Source : Comité 21
(www.agenda21france.org).

200 km

200 km

besoins et les attentes de la population. Il doit donc se fonder sur une démarche participative, sur la mobilisation de l'ensemble de la collectivité : élus, citoyens, acteurs économiques... Il définit les objectifs et les priorités.

Élaborer l'agenda demande donc de décloisonner les compétences, l'urbaniste devra travailler avec le spécialiste des transports, du commerce ou de la biodiversité.

L'agenda 21 local s'appuie sur une grille d'indicateurs permettant de faire un suivi de la mise en œuvre et d'évaluer ses résultats. Or ces indicateurs sont difficiles à établir ; ceux qui existent aujourd'hui sont presque exclusivement des indicateurs environnementaux qui ne peuvent suffire pour une approche globale.

La collectivité qui porte le projet le finance en relation avec le ministère en charge du Développement durable et avec différents autres organismes qui peuvent être impliqués directement, par exemple l'Agence de l'environnement et de la maîtrise de l'énergie (Ademe).

Les agendas 21 locaux mettent en pratique les principes évoqués plus haut (pollueur-payeur, principe de précaution). Ils consacrent l'intégration du développement durable dans la politique française d'aménagement.

– – – – – – – –

Plusieurs lois françaises citent explicitement le développement durable :
– la loi d'orientation pour l'aménagement durable des territoires (1999) envisage le développement durable de territoires en suivant des recommandations inscrites dans les agendas 21 locaux ;
– la loi Gayssot sur la solidarité et le renouvellement urbains (2000) est à l'origine des plans locaux d'urbanisme (PLU), lesquels doivent être l'expression de la politique de développement durable des communes ;
– la loi sur l'utilisation rationnelle de l'énergie (1996), la loi d'orientation agricole (1999), la loi sur l'eau (2006) font référence au développement durable.
Le développement durable a été explicitement adossé à la Constitution française en 2005, à la suite de la commission Coppens qui a insisté dans son rapport sur le développement durable et sur le milieu naturel reconnu comme patrimoine commun des hommes. Le rapport présente les dispositions de mise en œuvre de la Charte de l'environnement (éducation, formation, recherche et innovation, intégration de l'environnement dans les politiques publiques...).

Le Grenelle de l'environnement (2008) affirme la volonté d'intégrer le développement durable aux politiques de gestion des territoires. Quelques-unes de ses propositions concernent les transports : 2 000 kilomètres de nouvelles lignes TGV devraient être construites d'ici à 2012, les voies ferroviaires ainsi dégagées seront affectées au fret et les voies fluviales seront aussi favorisées. S'agissant de l'habitat, dès avant 2012, les bâtiments neufs devront répondre en termes énergétiques aux normes dites de « basse consommation » et le nombre de bâtiments anciens rénovés sera doublé. Le Code des marchés publics devrait également être revu afin de rendre obligatoires les clauses environnementales. Bon nombre de mesures concerneront aussi l'énergie et le climat. En relation avec le Grenelle de l'environnement, le Conseil économique et social intègre désormais les partenaires environnementaux aux côtés des partenaires sociaux.

Le Grenelle de la mer, aujourd'hui encore en discussion, constituera une avancée en termes de gestion littorale et marine.

QUELS ACTEURS INSTITUTIONNELS POUR LE DÉVELOPPEMENT DURABLE EN FRANCE ?

Une Commission française du développement durable (CFDD), organisme indépendant consultatif placé auprès du Premier ministre, a été créée en 1993. Sa mission était de définir les orientations d'une politique de développement durable, de soumettre au gouvernement des recommandations ayant pour objet de promouvoir ces orientations, de contribuer à l'élaboration du programme de la France en matière de développement durable. La CFDD a cessé ses fonctions en 2003. En 2001, pour préparer le Sommet mondial du développement durable (SMDD) de Johannesburg de 2002, la France a mis en place un comité qui a préparé avec les acteurs de l'État et de la société civile un *Livre blanc des acteurs français du développement durable*. Après le sommet mondial de 2002 ont été institués en 2003 un Comité permanent des hauts fonctionnaires du développement durable (CPHFDD) et un Conseil national du développement durable (CNDD) chargé de la concertation des groupes d'acteurs de la société civile et pouvant émettre des avis. Un délégué interministériel au Développement durable a été nommé en 2004. En 2008, le CNDD a été supprimé. En revanche, il existe maintenant un commissariat général au Développement durable (CGDD).

Le CGDD est une entité transversale destinée à promouvoir le développement durable au sein de toutes les politiques publiques et auprès des acteurs socioéconomiques. La fonction de délégué interministériel au Développement durable (DIDD) est confiée au commissaire général au Développement durable, qui porte l'action du commissariat général auprès des autres ministères.

Le Conseil économique pour le développement durable (CEDD), créé en 2009, comporte une vingtaine de membres issus des administrations, de la recherche et de la société civile. Ses travaux ont contribué à préparer la Conférence internationale sur le climat qui a eu lieu à Copenhague en décembre 2009 et à envisager les possibilités de mettre en œuvre une « nouvelle croissance écologique ».

QUELQUES EXEMPLES DE RÉALISATIONS EN FRANCE

Certaines réalisations déjà anciennes s'inscrivent dans la démarche de développement durable alors même que le concept n'existait pas! Rappelons les ordonnances royales émises par Philippe V de Valois qui avaient pour objectif en 1318 d'améliorer l'administration des forêts de la Couronne; celles de 1346 édictées par Philippe VI prescrivaient la généralisation des coupes réglées avec planification des prélèvements de bois. La célèbre ordonnance de 1669 (Colbert) précisait l'usage des forêts dans un but de protection et de bonne gestion que l'on pourrait aujourd'hui qualifier de durable. La loi de 1882 sur la restauration des terrains de montagne relevait des mêmes objectifs.

De nouvelles façons de gérer l'espace apparaissent à partir des années 1960. Ainsi sont instaurés (loi de 1960) des parcs nationaux, puis des parcs régionaux (loi de 1967) qui permettent, pour les premiers, de protéger des biotopes fragiles et, pour les seconds, d'associer développement, aménagement et durabilité des écosystèmes.

Le Conservatoire du littoral, créé par le décret de 1975, témoigne de la volonté de l'État de gérer autrement un espace très convoité. Le but de cet établissement public – dont le siège est à Rochefort – est de mener, dans les cantons côtiers et les communes riveraines des lacs et des plans d'eau d'une superficie de plus de 1 000 ha, une «politique foncière de sauvegarde de l'espace littoral, de respect des sites et de l'équilibre écologique». Le Conservatoire acquiert des secteurs littoraux ou peut en recevoir sous forme de donations. Il fait gérer ces sites par les collectivités locales ou des associations.

S'agissant du climat, nous évoquerons plus loin les plans climat, dans le chapitre consacré à l'atmosphère *(voir p. 172, Leçon 10)*. Ils sont destinés à réduire les rejets de gaz à effet de serre additionnel.

Lors du sommet de Rio en 1992, le principe de la gestion intégrée des zones côtières (GIZC) a été abordé dans le chapitre 17 de l'Agenda 21 consacré aux océans. La GIZC connaît un succès croissant auprès des aménageurs et décideurs, elle est reconnue comme un principe fondamental de la politique commune des pêches à l'échelle européenne, encouragée par toutes les institutions internationales.

La gestion des villes, des communautés de communes intègre de plus en plus le développement durable dans le cadre d'agendas 21 locaux. Des quartiers expérimentaux en matière de développement durable ont été créés ou sont en cours d'élaboration (Auxerre, Angers, Lille, Grenoble...).

Les espaces ruraux, la gestion de la forêt, de l'eau sont également à envisager en termes de développement durable. L'agriculture biologique se développe mais demeure modeste. Alors qu'elle occupe plus de 11 % des terres agricoles en Suisse, 14 % en Autriche, elle ne représente que 2 % des terres agricoles en France (J.-P. Charvet, 2008).

Les entreprises, et plus largement les acteurs économiques, ont souvent mis la durabilité au cœur de leur projet. Le développement est parfois utilisé à des fins de communication interne ou externe, mais la loi du 15 mai 2001 sur les nouvelles régulations économiques contraint les firmes cotées en Bourse à publier des comptes rendus de leurs actions sociales et environnementales dans leur rapport d'activité. La mise en œuvre de politiques durables par les entreprises passe souvent par l'autorégulation de celles-ci et la mise en application de normes du type ISO 14001. Cette norme repose sur le principe d'amélioration continue de la performance environnementale des entreprises, par la maîtrise des impacts liés à l'activité de celles-ci.

- - - - - - - -

LA SNCF ET LE DÉVELOPPEMENT DURABLE

La SNCF s'investit fortement dans le développement durable depuis la fin du XXe siècle.

Le Groupe SNCF a défini depuis 1999 sa politique et sa volonté d'engagement sur les questions environnementales, économiques et d'équité sociale.

• En 1999, la signature de la Charte des entreprises publiques pour le développement durable marque le début de l'engagement de la SNCF dans la mise en place de sa politique de développement durable. En 2002 et 2003, la SNCF adhère au Pacte mondial des Nations unies (Global Compact) qui invite les entreprises à adopter des principes universels sur les droits de l'homme, les normes de travail et l'environnement dans l'esprit d'un développement responsable et durable.

• Le 1er mars 2007, 26 sociétés du Groupe SNCF signent la Charte de la diversité. Cette démarche volontariste s'inscrit dans le programme « Égalité des chances et promotion de la diversité » mis en place en 2006 par la SNCF dans les domaines du recrutement et de la formation.

• Le 24 octobre 2008, la SNCF signe la Charte du développement durable de l'Union internationale des transports publics (UITP), lors de la deuxième conférence sur ce thème qui s'est tenue à Milan. Plus de 200 délégués représentant 27 pays (dont le Brésil, l'Australie, les États-Unis, la Chine, l'Afrique du Sud et l'Europe) étaient présents. Paraphée par quelque 140 membres, cette charte concrétise leur engagement sur trois volets : environnemental, sociétal et économique. Des enjeux au cœur des préoccupations de la SNCF, qui a fait de l'écomobilité le fil rouge de son projet d'entreprise « Destination 2012 ».

- - - - - - - -

De plus en plus, l'écologie industrielle prend de l'ampleur. Le recyclage pour économiser les matières premières et l'utilisation de sous-produits d'autres entreprises se développent.

En matière de gestion des risques, le développement durable est également convoqué. S'agissant des risques industriels (incendies, explosions, fuites toxiques), des mesures existent concernant les produits traités ou les installations. Les entreprises, sources de dangers, doivent satisfaire à des normes ISO. La loi de 1976 a institué la notion d'«installation classée». Les établissements susceptibles de générer des dangers sont soumis à une autorisation préfectorale. Les directives Seveso I et II (correspondant en droit français respectivement à «seuil bas» et «seuil haut»), transposées dans le droit français depuis 2000, singularisent les installations les plus dangereuses. La loi de 2003 a instauré les plans de prévention des risques technologiques (PPRT) qui concernent les installations de type Seveso seuil haut. La loi prévoit l'expropriation des habitations menacées, la préemption ainsi que le droit au délaissement de la part de propriétaires souhaitant quitter les espaces dangereux près des installations industrielles. Restent les modalités de financement. La cessation d'activités industrielles ou d'extraction doit être signifiée au préfet, et l'obligation est faite à l'exploitant d'éliminer les produits dangereux ou toxiques et de remettre le site en état.

LA CÔTE D'OPALE : AMÉNAGEMENT ET DÉVELOPPEMENT DURABLE D'UN ESPACE LITTORAL

La Côte d'Opale (de la frontière belge à la baie d'Authie) est un territoire pionnier en matière de gestion intégrée des zones côtières (GIZC). Elle a été retenue par la Commission européenne, dès 1995, dans le cadre d'un programme d'expérimentation à l'aménagement intégrée des zones côtières. Dix ans après, en 2005, elle a été sélectionnée à nouveau par l'État, à la suite d'un comité interministériel d'aménagement et de développement du territoire, parmi les lauréats d'un appel à projets « pour un développement équilibré des territoires littoraux par une gestion intégrée des zones côtières ». Quelles sont les caractéristiques de ce littoral ? Quels sont les enjeux et les limites de l'application de la GIZC ?

LA CÔTE D'OPALE : UN MILIEU SPÉCIFIQUE, ATTRACTIF ET SOUS PRESSION

En raison de la structure géologique particulière du Boulonnais et de la plaine flamande, le littoral de la Côte d'Opale présente une imbrication d'étendues dunaires, de côtes à falaises de calcaire ou de grès et de marnes, d'estuaires, de zones humides et de polders *(voir ci-contre, La Côte d'Opale : un littoral fragile)*.

Chacun de ces milieux, outre leur qualité paysagère et esthétique fréquemment utilisée pour promouvoir le tourisme régional, comporte des richesses faunistiques et floristiques remarquables : ce sont des haltes sur les routes des migrations ou des sites de nidification de diverses espèces d'oiseaux. Cette richesse concerne également le milieu marin et a été très tôt protégée par un arsenal de mesures réglementaires ou contractuelles : sur les 147 kilomètres du linéaire côtier de la Côte d'Opale, 111 sont protégés.

Ce littoral très protégé est aussi très aménagé : la densité moyenne des communes côtières (657 hab./km²) est nettement supérieure à celle du littoral français (272 hab./km²). Des années 1960 aux années 1980, des activités industrielles et touristiques s'y sont développées en lien avec l'aménagement des ports : sidérurgie et pétrochimie dans la zone industrialo-portuaire (ZIP) de Dunkerque, centrale nucléaire à Gravelines, etc., provoquant ainsi l'artificialisation de 80 % du linéaire côtier dans le département du Nord. En revanche, l'artificialisation est moins poussée dans le département du Pas-de-Calais. Elle ne concerne que 20 % de la côte et

LA CÔTE D'OPALE : UN LITTORAL FRAGILE

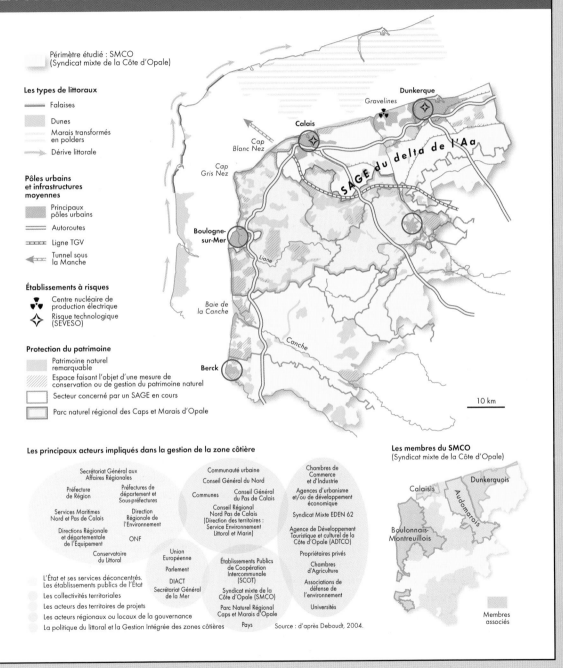

Périmètre étudié : SMCO
(Syndicat mixte de la Côte d'Opale)

Les types de littoraux
- Falaises
- Dunes
- Marais transformés en polders
- Dérive littorale

Pôles urbains et infrastructures moyennes
- Principaux pôles urbains
- Autoroutes
- Ligne TGV
- Tunnel sous la Manche

Établissements à risques
- Centre nucléaire de production électrique
- Risque technologique (SEVESO)

Protection du patrimoine
- Patrimoine naturel remarquable
- Espace faisant l'objet d'une mesure de conservation ou de gestion du patrimoine naturel
- Secteur concerné par un SAGE en cours
- Parc naturel régional des Caps et Marais d'Opale

10 km

Dunkerque
Gravelines
Calais
Cap Blanc Nez
Cap Gris Nez
SAGE du delta de l'Aa
Boulogne-sur-Mer
Liane
Baie de la Canche
Canche
Berck

Les principaux acteurs impliqués dans la gestion de la zone côtière

Secrétariat Général aux Affaires Régionales
Préfecture de Région
Préfectures de département et Sous-préfectures
Services Maritimes Nord et Pas de Calais
Direction Régionale de l'Environnement
Directions Régionale et départementale de l'Équipement
ONF
Conservatoire du Littoral

Communauté urbaine
Conseil Général du Nord
Communes
Conseil Général du Pas de Calais
Conseil Régional Nord Pas de Calais (Direction des territoires : Service Environnement Littoral et Marin)

Union Européenne
Parlement
DIACT
Secrétariat Général de la Mer

Établissements Publics de Coopération Intercommunale (SCOT)
Syndicat mixte de la Côte d'Opale (SMCO)
Parc Naturel Régional Caps et Marais d'Opale
Pays

Chambres de Commerce et d'Industrie
Agences d'urbanisme et/ou de développement économique
Syndicat Mixte EDEN 62
Agence de Développement Touristique et culturel de la Côte d'Opale (ADTCO)
Propriétaires privés
Chambres d'Agriculture
Associations de défense de l'environnement
Universités

- L'État et ses services déconcentrés. Les établissements publics de l'État
- Les collectivités territoriales
- Les acteurs des territoires de projets
- Les acteurs régionaux ou locaux de la gouvernance
- La politique du littoral et la Gestion Intégrée des zones côtières

Source : d'après Deboudt, 2004.

Les membres du SMCO
(Syndicat mixte de la Côte d'Opale)

Calaisis
Dunkerquois
Audomarois
Boulonnais-Montreuillois

Membres associés

UN LITTORAL FRAGILE

· ·

La Côte d'Opale se caractérise par une grande variété de paysages et de formes de littoraux. Tous ont évolué au cours des périodes géologiques récentes et ne cessent de se transformer, notamment en fonction des variations du niveau marin. Le trait de côte ne se situait pas, il y a quelques dizaines de milliers d'années, là où il se trouve aujourd'hui. Durant les périodes froides (dites glaciaires), le niveau marin était beaucoup plus bas, et le fond de la Manche presque totalement exondé. La remontée du niveau marin à la fin de la période glaciaire explique globalement le trait de côte actuel, mais celui-ci reste mobile et soumis aux marées, aux tempêtes, à la montée lente du niveau marin. Il faut donc apprendre à gérer un espace «mobile» à toutes les échelles de temps (temps longs géologiques, temps plus courts de la remontée du niveau marin postglaciaire, temps très court des tempêtes...). Ce littoral associe des formes diverses qui imposent aussi des modes de gestion spécifiques : des côtes basses sableuses, vastes plages bordées de dunes (région du Touquet), de hautes falaises (cap Gris-Nez ou cap Blanc-Nez) ; des côtes vaseuses (côtes marécageuses des Flandres) souvent poldérisées depuis longtemps. Gérer ce littoral revient à prendre en compte la variété des formes et des aménagements anciens. Certains secteurs comme les plages sont fragiles et demandent des modes de protection spécifiques ; d'autres très aménagés, comme le littoral de Dunkerque, doivent éviter les pollutions. Partout il faut empêcher le mitage sur des espaces qui demeurent très attractifs *(voir p. 31, La Côte d'Opale : un littoral fragile)*.

elle est liée à deux types d'activités : d'une part, le développement des ports de Calais (1er port français pour le transport de passagers) et de Boulogne (1er port français pour la pêche et la transformation des produits de la mer) ; d'autre part, celui des stations balnéaires (Le Touquet-Paris-Plage, Hardelot, Wimereux...).

L'ouverture de la Côte d'Opale par le tunnel sous la Manche et par l'autoroute A16 a accentué l'urbanisation sur le littoral déjà très exposé aux risques naturels (forte dynamique érosive concernant surtout les côtes à falaises) et technologiques (explosions, incendies, émanations toxiques asso-ciés aux établissements industriels). On compte treize établissements Seveso sur le littoral dunkerquois et trois établissements dans le port de Calais. S'y ajoutent les risques de collision, de pollution par les hydrocarbures, etc., liés au trafic maritime sur une des routes les plus fréquentées (environ 700 navires par jour dans le détroit du pas de Calais), les pollutions venant des bassins-versants continentaux.

«Il apparaît donc que le littoral de la Côte d'Opale présente la situation d'être fortement urbanisé et industrialisé, de subir des pressions anthropiques croissantes, mais aussi d'être particulièrement protégé»

(P. Deboudt, *et al.*, 2005). C'est là le résultat de politiques publiques volontaristes et d'acteurs très engagés. Ce territoire fragile et convoité constituait un excellent terrain d'expérimentation d'une nouvelle approche globale pour traiter les problèmes croissants rencontrés en zone côtière.

LA GIZC EN CÔTE D'OPALE : AVANCÉES ET DIFFICULTÉS

· · · · · · · · · · · · · · · ·

Depuis de nombreuses années, divers intervenants tentent soit de mettre le littoral de la Côte d'Opale en valeur pour y développer notamment le tourisme, soit de protéger la nature (paysages et biodiversité). Ainsi, plusieurs sites de cette côte appartiennent au Conservatoire du littoral : la baie d'Authie, la baie de Canche, les dunes flamandes, le site des caps... Le parc régional des Caps et Marais d'Opale, né en 2000 de l'association du PNR de l'Authie et du PNR de l'Audomarois, compte également parmi les acteurs qui tentent d'intégrer protection de l'environnement et croissance économique pour un développement durable. La GIZC s'allie à ces acteurs avec des objectifs assez proches.

LA GESTION INTÉGRÉE DES ZONES CÔTIÈRES (GIZC)

· ·

La gestion intégrée des zones côtières a vu le jour sous l'impulsion de l'Europe (programme de 1999 sur la gestion des littoraux) et, en France, à l'instigation de la Datar et du Secrétariat général de la Mer. Elle est l'application au littoral des principes du développement durable. L'objectif est de concilier développement et préservation des ressources sur le long terme en liant questions environnementales, économiques et sociales. La GIZC consiste à traiter de manière simultanée l'aménagement et la préservation de l'espace littoral conçu comme une entité à l'interface terre/mer. La mise en œuvre d'une GIZC implique :
– l'identification d'un territoire pertinent où les enjeux et les acteurs sont bien identifiés ;
– l'organisation d'une concertation préalable (qui peut durer plusieurs années) avec les acteurs pour bien identifier les enjeux majeurs et définir des objectifs ;
– la définition de règles de gestion et la mise en place d'une structure autonome pour assurer cette gestion ;
– l'existence d'un financement pour mener des actions sur le long terme ;
– la mise en place d'indicateurs pour suivre la réalisation des objectifs.
Cette stratégie de gestion vise à privilégier des partenariats entre les différents acteurs (État, collectivités territoriales, établissements publics, socioprofessionnels, citoyens) afin de dépasser des approches strictement juridiques et réglementaires pilotées par l'État, de déboucher sur un projet de territoire, matérialisé par un contrat.

La Côte d'Opale a mis précocement en œuvre une gestion intégrée des zones côtières. Dès le milieu des années 1990, elle a lancé un projet qui concerne un territoire original car il regroupe le linéaire côtier et une grande partie de l'arrière-pays, soit 36 communes côtières et 384 communes de l'arrière-pays qui recouvrent quatre entités géographiques : le Dunkerquois, le Calaisis, le Boulonnais et l'Audomarois *(voir p. 31, La Côte d'Opale : un littoral fragile)*. L'ensemble compte 800 000 habitants sur les deux départements du Nord - Pas-de-Calais. Cette extension vers l'arrière-pays s'explique par une « série de solidarités socioéconomiques (impact du tourisme balnéaire sur l'arrière-pays, attractivité économique des villes portuaires), socio-écologiques (interactions entre les bassins-versants et les eaux marines) et sociopolitiques » (E. Dubaille, M. Ghézali, 2005).

Pour gérer ce territoire, un syndicat mixte de la Côte d'Opale (SMCO), qui incorpore les treize structures intercommunales, les chambres de commerce et d'industrie de Dunkerque, Calais, Boulogne, Saint-Omer et les chambres d'agriculture du Nord et du Pas-de-Calais, et associe l'Université du littoral de la Côte d'Opale, s'est mis en place. La première phase de gestion (1995-2005) a permis plusieurs réalisations : un diagnostic territorial associé à un système d'information géographique de la Côte d'Opale, la rédaction d'une charte qui intègre l'objectif de développement durable dans ses douze schémas sectoriels, la mise en œuvre d'un Plan littoral d'actions pour la gestion de l'érosion (Plage), un schéma d'aménagement et de gestion des eaux (Sage) du delta de l'Aa.

En 2005 s'est ouverte une deuxième phase de gestion intégrée pour la Côte d'Opale qui bénéficie de son avancement dans divers domaines : gestion des risques d'érosion et de pollutions marines, gestion du foncier littoral, pilotage de projets associant de multiples partenaires... Son comité de pilotage largement ouvert rassemble des représentants des collectivités locales, des services de l'État, d'établissements publics, d'universités, d'organisations consulaires et des représentants socio-professionnels et associatifs *(voir p. 31, La Côte d'Opale : un littoral fragile)*. Mais il doit aussi faire face à de multiples difficultés liées à la mobilisation et aux motivations des différents partenaires, ainsi qu'au financement des projets.

En effet, la GIZC implique la collaboration d'un grand nombre d'acteurs pour élaborer et faire vivre les projets ; il est donc indispensable de consacrer du temps à la définition partagée des diagnostics et des enjeux. Cette durée peut contribuer à la démobilisation de certains acteurs sur le long terme. Dans le contexte de la décentralisation accrue, il peut être aussi difficile d'une part de mettre en synergie les interventions des collectivités territoriales et celles des services de l'État, d'autre part de trouver les moyens de financement publics. À cela s'ajoute le désintérêt de certaines catégories d'acteurs (pêcheurs, opérateurs touristiques, industriels) pour des projets qui concernent avant tout la protection de l'environnement naturel.

EN CONCLUSION

L'exemple de la Côte d'Opale nous montre que la GIZC est essentielle pour guider l'action publique en vue d'un développement durable sur une zone côtière aux milieux spécifiques qui abritent une riche biodiversité et qui sont soumis à des usages multiples parfois concurrents, mais elle se heurte à la difficulté de dépasser le volet environnemental et d'articuler les échelles locale et nationale.

02

IDÉES REÇUES, PIÈGES À ÉVITER

→ La population aura plus que doublé
à la fin du XXIᵉ siècle.

→ Fortes densités de population et dégradation
de l'environnement sont étroitement associées.

→ L'explosion démographique est responsable de tous
les maux : famines, désertification, déclin
de la biodiversité, voire du réchauffement climatique.

→ La population et sa croissance analysées en termes
de « bombe P ».

LE RAPPORT POPULATION/ DÉVELOPPEMENT DURABLE, OBJET DE DÉBATS ?

De 2,5 milliards dans les années 1930, la population mondiale a atteint le chiffre de 5 milliards au milieu des années 1980 et de 6,5 milliards au début de l'an 2000, soit six fois plus qu'en 1800. Au cours des trente dernières années, cette population a augmenté de 2,4 milliards, soit une hausse de 60 %. Jusqu'où la croissance peut-elle se poursuivre ? Les projections récentes des Nations unies envisagent une stabilisation de la population mondiale dans les prochaines décennies, voire sa diminution. Cependant, certains médias annoncent toujours une croissance continue qui devrait conduire à une très forte augmentation de la population au cours du XXIe siècle et dénoncent toujours la « surpopulation ».

- Cette surpopulation est souvent considérée comme un frein au développement durable. Quels liens existe-t-il entre densité de population et développement durable ?
- Une forte densité est-elle toujours synonyme de dégradation du milieu et des ressources, de surconsommation de celles-ci ?
- Comment les pays vieillissants aborderont-ils le développement durable ?

UNE AUGMENTATION GLOBALE DE LA POPULATION QUI S'ACCÉLÈRE AU XXᵉ SIÈCLE

Dans le passé, la population augmentait au gré des années fastes marquées par de bonnes récoltes et l'absence d'épidémies. La peste des XIV et XVᵉ siècles aurait réduit la population européenne du tiers. La population de la France est d'ailleurs passée de 21 à 8 ou 10 millions d'habitants pendant cette période.

À partir du XVIIIᵉ siècle, la situation change avec les progrès techniques et scientifiques qui commencent à voir le jour à l'époque des Lumières. Dès lors, au cours du XIXᵉ siècle, se produit peu à peu une baisse de la mortalité et de la mortalité infantile, alors que la natalité diminue aussi progressivement. La même évolution apparaît dans certains pays en développement au long du XXᵉ siècle, elle est encore en cours pour une partie d'entre eux. La mortalité infantile, de 300 ‰, est passée à 110 ‰ en Asie du Sud-Est et de 300 à 180 ‰ en Afrique subsaharienne.

La baisse de la mortalité explique largement une croissance démographique sans précédent en Chine. Ce pays comptait 400 millions d'habitants au début du XXᵉ siècle, 550 millions en 1950, 1,3 milliard aujourd'hui. Il y a un peu plus de cinquante ans, la Chine a commencé à enregistrer une augmentation de l'espérance de vie. Elle est passée de 41 ans alors à 72,6 ans aujourd'hui.

Les projections réalisées en 1980 par différents organismes spécialistes de démographie permettaient de considérer la «possibilité d'une stabilisation de la population mondiale» au cours du XXIᵉ siècle. Ainsi, à la fin du XXᵉ siècle, la croissance de la population mondiale continuait, mais au ralenti. «Le freinage a été plus brutal que prévu en raison de la chute rapide de la fécondité, l'indice passant de 4,7 à 2,6 enfants par femme en âge de procréer. Le ralentissement de la croissance est donc bien une réalité. La fin de la croissance démographique mondiale peut probablement être envisagée, mais, auparavant, l'augmentation continuera encore à caractériser certains pays pauvres» (H. Leridon et M.-L. Lévy, 1980).

La croissance de la population résulte de l'accroissement naturel; elle peut être liée aussi aux mouvements migratoires. L'accroissement naturel est dû à la différence entre taux de natalité et taux de mortalité. Cet accroissement plus ou moins important correspond à plusieurs situations.

TAUX DE FÉCONDITÉ : DÉFINITION

Le taux de fécondité est le nombre de naissances vivantes de l'année rapporté à l'ensemble de la population féminine en âge de procréer (nombre moyen des femmes de 15 à 50 ans sur l'année). Son évolution dépend en partie de l'évolution de la structure par âges des femmes âgées de 15 à 50 ans.

Pour que les générations se renouvellent, il faut que naissent 205 enfants pour 100 femmes (100 filles et 105 garçons, mais si l'on tient compte de la mortalité des filles avant l'âge de procréer, il faut que naissent 210 enfants). Soit un indice de fécondité de 2,1 enfants en moyenne par femme *(voir p. 43, La transition démographique)*.

QUELLE ÉVOLUTION DÉMOGRAPHIQUE AU COURS DU XXIe SIÈCLE ?

Le taux de fécondité depuis 2003 est inférieur à 2,1 enfants par femme dans les pays riches, mais également dans certains pays en développement. En effet, la baisse de la fécondité n'est plus l'apanage des seuls pays de l'Europe et de l'Amérique du Nord (les États-Unis ont un taux de fécondité de 2,07) et des autres pays riches, soit au total moins de 3 milliards d'hommes. C'est aussi le fait de la Chine, de certains États de l'Inde, de la Tunisie... Ainsi, dans l'ensemble des pays en développement, la fécondité a diminué de moitié depuis 1960, passant de 6 enfants à 2,9 en moyenne, et l'espérance de vie est passée de 48 à 64 ans. Pourtant, dans les pays les moins avancés, où la fécondité est passée de 6,6 à 5,2 et l'espérance de vie de 39 à 50 ans, la croissance démographique demeure forte. Ainsi, le Niger compte encore 8 enfants par femme, l'Afghanistan 7,5 et le Mali 6,9. C'est à ces pays toujours en transition démographique que l'on devra une augmentation conséquente de la population mondiale dans les années à venir. En effet, 20 % de l'humanité se caractérise encore par une fécondité supérieure à 4 enfants ou plus en moyenne par femme. Les pays concernés sont situés dans une bande qui va de l'Afghanistan au nord de l'Inde en passant par le Pakistan, la péninsule Arabique et l'Afrique au sud du Sahara *(voir ci-contre, La fécondité dans le monde en 2005)* (G Pison, 2009).

Une opposition parmi les pays riches existe : d'un côté se trouvent ceux qui sont en quasi-équilibre, où la fécondité moyenne est légèrement inférieure au seuil de renouvellement des générations, mais où un apport de l'immigration conduit à stabiliser les effectifs (France, États-Unis, Australie, Scandinavie) ; de l'autre, il y a des pays qui se caractérisent par une forte baisse de la fécondité et une sensible diminution de la population (Allemagne, Italie, Espagne).

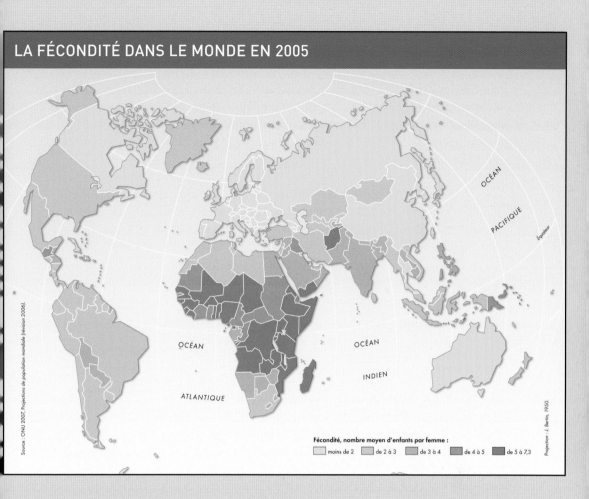

LA FÉCONDITÉ DANS LE MONDE EN 2005

Source : ONU 2007, Projections de population mondiale (révision 2006).

OCÉAN

PACIFIQUE

Équateur

OCÉAN

OCÉAN

INDIEN

ATLANTIQUE

Projection : J. Bertin, 1950.

Fécondité, nombre moyen d'enfants par femme :
moins de 2 — de 2 à 3 — de 3 à 4 — de 4 à 5 — de 5 à 7,3

Le planisphère présente le taux de fécondité dans les différents pays du monde. Ce taux, qui est le rapport du nombre de naissances vivantes de l'année à l'ensemble de la population féminine en âge de procréer (nombre moyen des femmes de 15 à 50 ans sur l'année), varie fortement selon les pays. On peut donc opposer un groupe de pays où la fécondité est forte (Afrique subsaharienne, dans une moindre mesure Moyen-Orient, Inde...) et d'autres où la fécondité est faible (Chine, Canada...), voire très faible, ne permettant pas le renouvellement des générations (c'est le cas de certains pays européens notamment). Ce document permet d'envisager quels ensembles géographiques continueront à voir leur population augmenter au cours du XXIe siècle et quels espaces seront concernés par le vieillissement.

Quoi qu'il en soit, les conséquences immédiates de la situation actuelle de la fécondité, et probablement aussi les retombées ultérieures si l'évolution d'aujourd'hui se prolonge, se traduiront par un vieillissement considérable de la population mondiale, plus net dans les pays riches que dans les pays en développement. Cette situation pose de nombreuses questions en matière de gestion de la planète et de développement durable. La proportion des personnes âgées de 60 ans et plus devrait passer de 10 % de la population mondiale en 1995 à 30 % à la fin du XXIe siècle.

Le poids démographique des continents s'est radicalement modifié en un peu plus d'un siècle. L'Europe à la fin du XIXe siècle regroupait un quart de l'humanité ; elle n'en porte plus qu'un dixième. L'Afrique a vu son poids démographique augmenter. À la fin du XIXe siècle, elle représentait 8 % de la population mondiale, elle en représentera 18 % en 2020. Un doublement de la population africaine est envisagé d'ici à 2030, mais les effets du sida expliqueront peut-être qu'en Afrique subsaharienne la population soit inférieure de 100 millions à celle prévue il y a quelques années *(voir ci-contre, L'évolution de la population mondiale)*.

La population mondiale atteindrait les 10 milliards d'habitants à la fin du XXIe siècle, selon certaines évaluations. En revanche, des travaux récents de l'ONU avancent pour cette date une baisse importante de la population mondiale, laquelle pourrait ne pas dépasser 5,5 milliards d'individus, soit près de 1 milliard de moins qu'aujourd'hui.

Le mouvement général de baisse de la fécondité et la convergence qu'elle a provoquée entre monde développé et monde en développement se sont réalisés très rapidement, plus vite que n'a évolué aucun facteur de développement. Le revenu moyen n'a que peu progressé dans beaucoup de pays du Sud et l'instruction ne s'est pas largement diffusée. Or, en général, les changements démographiques sont considérés comme la conséquence des changements économiques et sociaux, mais la situation actuelle infirme ce constat et oblige à envisager d'autres facteurs d'explication, et en tout premier lieu des changements de mentalités et l'adoption du modèle occidental largement diffusé par les médias.

UNE POPULATION INÉGALEMENT RÉPARTIE ET À DOMINANTE URBAINE

Environ 70 % de la population totale de la planète est concentrée sur 12 % de la surface des continents. Plus de la moitié de l'humanité se trouve en Asie, en Chine et en Inde, mais aussi au Japon, en Indonésie, aux Philippines. La population y est

LA TRANSITION DÉMOGRAPHIQUE

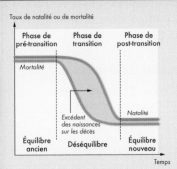

On distingue un régime démographique traditionnel caractérisé par une forte natalité, une forte fécondité et une forte mortalité, autrement dit par une croissance lente de la population. Puis on passe à un régime de natalité, de fécondité et de mortalité beaucoup plus faible, dit aussi « post-transitoire », qui se caractérise par un accroissement naturel faibli. Entre les deux apparaît le régime de transition au sens strict, caractérisé par une forte natalité et une baisse significative de la mortalité. Il se traduit par une augmentation importante de la population. Cette phase, qui se nomme « transition démographique », n'est que temporaire.

L'ÉVOLUTION DE LA POPULATION MONDIALE (HYPOTHÈSE HAUTE)

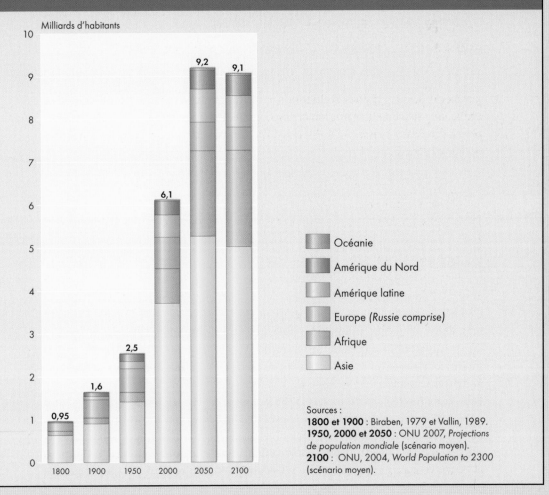

Sources :
1800 et 1900 : Biraben, 1979 et Vallin, 1989.
1950, 2000 et 2050 : ONU 2007, *Projections de population mondiale* (scénario moyen).
2100 : ONU, 2004, *World Population to 2300* (scénario moyen).

surtout rurale, les densités peuvent atteindre 600 hab./km² dans les plaines chinoises ou à Java. Pourtant, une partie importante est également concentrée dans de très grandes villes, des mégapoles, qui dépassent 5 millions d'habitants (Shanghai, Pékin, Calcutta, Tokyo…).

L'Europe constitue un autre foyer de population, mais de moindre ampleur que le précédent. Les densités n'excèdent guère 300 hab./km². Les villes, bien que souvent moins peuplées que les très grandes villes d'Asie, y sont très nombreuses et composent un véritable semis.

La population est beaucoup moins dense ailleurs. Pourtant, il existe quelques foyers de peuplement comme la vallée du Nil, le littoral du golfe de Guinée, le nord-est des États-Unis… De vastes espaces dont la densité de population est faible, voire très faible, se situent au cœur de l'Asie (Kazakhstan, Sibérie) et globalement en Russie ; ils correspondent aussi à la forêt tropicale humide du bassin du Congo et de l'Amazonie et naturellement aux grands déserts (Sahara, Kalahari) et aux hautes latitudes (nord du Canada, Groenland).

Aujourd'hui, plus de 40 % de la population mondiale vit en ville. Le XXIᵉ siècle est et restera largement urbain. En 2025, il est prévu que la population urbaine dépasse 60 % et l'on envisage l'existence de plus de 30 villes de plus de 8 millions d'habitants.

DES RAPPORTS COMPLEXES ENTRE POPULATION, RESSOURCES ET DÉVELOPPEMENT DURABLE

Lors de la conférence du Caire sur la population et le développement, en 1994, les participants ont considéré qu'il était urgent de traiter la « surpopulation » pour sauver les pays pauvres. Pourtant, un tel constat ne révèle-t-il pas une analyse simpliste ?

Peut-on parler de « surpopulation » dans les espaces densément peuplés ? Ce terme est difficile à définir, il implique que soit fixé un seuil au-delà duquel la population serait trop nombreuse. Mais que faut-il entendre par trop nombreuse ? Quels critères utiliser pour définir ce terme ? Est-ce la quantité de ressources disponibles qui renvoie aussi à la « capacité de charge » ? Ou les impacts des sociétés sur l'environnement ?

Dans certaines régions du monde, si les populations vivaient en autarcie, quelques habitants au kilomètre carré pourraient être considérés comme « trop nombreux » par rapport aux ressources disponibles (Arctique, régions désertiques). En revanche, des densités très élevées peuvent s'accompagner d'une bonne maîtrise de l'espace et de ses ressources (Pays-Bas). De telles analyses ne prennent pas en compte les échanges, le transfert de ressources, les modes de gestion économes et adaptés au milieu et aux ressources que certains groupes sociaux mettent en œuvre pour gérer de manière acceptable leur environnement. Autant de données qui rendent ces analyses tout à fait inopérantes. Le terme de «surpopulation», qui rejoint la notion d'«optimum démographique» ou de «bombe P» (P pour population), relève d'une idéologie qui dénonce systématiquement les actions des sociétés sur la nature et définit des seuils de population à ne pas dépasser pour protéger la nature.

Cette relation entre population et ressources fait l'objet de discussions depuis le XVIIIe siècle. À la suite de Malthus, de nombreux chercheurs ont insisté sur la distorsion existant entre croissance démographique et ressources. En 2002, le rapport sur l'«empreinte écologique des nations» précise d'ailleurs que la population mondiale dépasse déjà de plus de 20 % la capacité de la Terre à subvenir à ses besoins. Que signifie une telle analyse? Dire qu'il y a trop d'hommes sur la planète signifie-t-il qu'il faudrait en supprimer certains pour «protéger» les ressources et la Terre? De tels discours si souvent répétés rejoignent des positions idéologiques pour le moins discutables.

Doit-on associer systématiquement fortes densités et dégradation de l'environnement? Cela nécessite une analyse des modes de vie, des types d'activités (polluantes ou non, très consommatrices en énergie fossile ou non), du degré de développement. *A contrario*, dans bien des cas, la pauvreté est rendue responsable de la dégradation des ressources.

Aujourd'hui encore, 2,8 milliards de personnes sont dans un état de grande pauvreté et ont été ou sont encore considérées comme destructrices de leur environnement dans lequel elles prélèveraient du bois en excès, affecteraient dangereusement la biodiversité, dégraderaient les sols par les systèmes de brûlis…

Cette analyse porte en elle-même une contradiction flagrante puisque les mêmes auteurs qui dénoncent les effets de la pauvreté sur les milieux insistent aussi sur la faible empreinte écologique qui caractérise les pays pauvres (Burkina Faso, Bénin, Bolivie, Costa Rica…) et ne sont pas loin, pour cela, d'en faire des modèles.

Certains auteurs considèrent que la stabilisation, voire la baisse de la population évoquée plus haut, devrait s'accompagner de la diminution de la pauvreté, ce qui pourrait conduire à une amélioration de la protection de l'environnement et de la réduction de la consommation des ressources locales. Or la diminution de la croissance démographique qui concerne de nombreux pays ne va pas forcément de pair avec le développement de ces mêmes pays et donc avec la fin de la pauvreté.

A contrario, les pays émergents, en cours de développement rapide, sont aujourd'hui de grands consommateurs d'énergie et globalement de ressources, des pollueurs importants. Les pays où la population stagne, voire diminue, tels les pays riches, sont encore de gros consommateurs de ressources renouvelables et non renouvelables (pétrole, gaz, minerais, eau…) et des émetteurs encore non négligeables de pollutions – bien que des mesures soient prises pour réduire la consommation de ressources et les pollutions.

Dans les rapports complexes entre population et ressources, bien des points suscitent des débats. Ces rapports doivent être envisagés au cas par cas et il est difficile, voire impossible, de relier de manière déterministe et simpliste densité de population et dégradation de l'environnement, densité de population et pauvreté, et dégradation et pauvreté. Quoi qu'il en soit, une augmentation considérable de la population ne peut que se traduire par une pression accrue sur les ressources disponibles (eau, sol, forêt,…) qui nécessitera des choix de gestion spécifiques pour aller vers un développement durable.

DYNAMIQUES DE POPULATION ET ENJEUX DE DÉVELOPPEMENT DURABLE EN CHINE

Au cours de la seconde moitié du XXe siècle, la population chinoise a doublé : 542 millions d'habitants en 1949, à l'avènement de la République populaire ; 1,3 milliard en 2005, soit une multiplication par 2,4. Avec un cinquième de la population mondiale, la Chine est le pays le plus peuplé du monde devant l'Inde. Cette population nombreuse fut considérée comme un atout, puis comme un frein au développement par le gouvernement communiste qui engagea des politiques démographiques dès 1956. Les premières tentatives n'eurent guère d'effets. Il fallut attendre les années 1970 – une troisième politique de contrôle des naissances en 1972, renforcée en 1979 par la politique de l'enfant unique – pour noter une baisse significative et durable de la fécondité. Depuis la fin du XXe siècle, la courbe de la croissance démographique a connu un infléchissement : la population continue de croître, mais à un rythme plus lent. En 2020, la population de l'Inde devrait dépasser celle de la Chine (1,5 contre 1,4 milliard).

La Chine est parvenue à maîtriser sa croissance démographique et, parallèlement, elle a connu des mutations accélérées : fin de la transition démographique, rapide croissance urbaine, intense mobilité des hommes, accroissement des inégalités sociales et territoriales... En termes de développement durable, quels sont ou seront les effets de ces dynamiques de population ? Quels nouveaux défis la Chine du XXIe siècle devra-t-elle relever ?

LA NÉCESSITÉ D'ANTICIPER LE VIEILLISSEMENT DÉMOGRAPHIQUE À VENIR

. . . .

D'après les chiffres officiels et les travaux des spécialistes, la Chine a aujourd'hui une démographie dont les standards correspondent à ceux des pays industrialisés : en 2007, le taux d'accroissement naturel était de 5 ‰ ; l'espérance de vie à la naissance de 72 ans (70 ans pour les hommes, 74 ans pour les femmes), soit le double de celui de 1950 ; l'indice synthétique de fécondité de 1,6 enfant par femme. Plusieurs facteurs expliquent cette baisse rapide de la fécondité : la politique drastique de réduction du nombre d'enfants, surtout à partir de 1979 ; le changement de comportement démographique des Chinois lié au développement économique et à l'urbanisation du pays (le désir des couples de limiter le nombre d'enfants, le fort investissement des familles sur l'enfant unique).

Le vieillissement de la population a commencé, selon le démographe Gilles Pison. La pyramide des âges est rétrécie à la base, les jeunes générations étant moins nombreuses que celles d'âge moyen ; le haut de la pyramide ne compte encore que peu de personnes âgées. Les plus de 65 ans constituaient 4,9 % de la population en 1982, 7 % en 1994 et 8 % en 2008. Pour les mêmes dates, les moins de 14 ans sont passés de 33,5 % à 28,7 %, puis à 20 %. En 2030, les plus de 65 ans devraient représenter plus de 16 % de la population. Le vieillissement devrait donc s'accélérer : « Il ne faudra à la Chine que vingt-cinq ans pour que la proportion de personnes âgées double (entre 2001 et 2026) alors qu'il a fallu cent quinze ans à la France pour que le même phénomène se produise ! » (G. Pison) Aujourd'hui, la part de la population d'âge actif est encore élevée. La tranche des 20-65 ans qui représentait 45 % de la population en 1970 a beaucoup augmenté, elle atteint près de 65 %. Mais, dans les années à venir, ces actifs très nombreux arriveront à la retraite, augmentant ainsi considérablement le poids de la population âgée dans un pays où le système de retraite est encore déficient et où les solidarités s'érodent.

Cette évolution pourrait affecter tous les secteurs de la société, depuis la vie de famille (l'enfant unique sera-t-il en mesure d'assumer la charge de ses aînés ?) jusqu'à la santé (devra-t-on réglementer les décès comme les naissances ?) en passant par les dépenses de l'État (quels moyens pour développer les services sociaux et financer l'alourdissement des dépenses de santé ?). Un des défis majeurs de la Chine est de parvenir à anticiper le phénomène de vieillissement en développant un système de retraite permettant de prendre en charge les personnes âgées, tout particulièrement dans les zones rurales où la plupart de celles-ci dépendent pour vivre de leur famille, dont la taille est de plus en plus réduite.

Le déficit de filles, phénomène culturel dont les démographes et les sociologues mesurent encore mal les effets pourrait amplifier le processus de vieillissement, en dépit des lois d'égalité entre hommes et femmes. Il naît en Chine environ 120 garçons pour 100 filles. L'augmentation de la masculinité à la naissance depuis les années 1980 tient à la conjonction de trois phénomènes : la réduction de la taille des familles, la volonté d'avoir un garçon à tout prix et la diffusion de l'échographie qui, en permettant le dépistage prénatal, a rendu possible l'avortement sélectif de filles. Le déficit cumulé des filles est de 10 millions sur les vingt dernières années. Les mesures prises (interdiction des échographies de recherche du sexe et des avortements sélectifs, les campagnes de promotion des filles...) peinent à rétablir l'équilibre et à instituer l'égalité des sexes (voir ci-contre, L'évolution probable de la pyramide des âges en Chine, Quatre campagnes démographiques en Chine ; p. 50, La fécondité en Chine).

L'ÉVOLUTION PROBABLE DE LA PYRAMIDE DES ÂGES EN CHINE

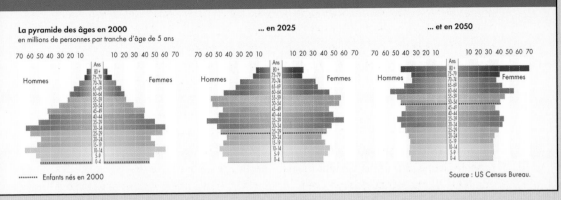

La pyramide des âges en 2000
en millions de personnes par tranche d'âge de 5 ans

... en 2025

... et en 2050

········· Enfants nés en 2000

Source : US Census Bureau.

QUATRE CAMPAGNES DÉMOGRAPHIQUES EN CHINE

1956

1re campagne de planification des naissances (arguments économiques et de santé, diffusion de contraceptifs, avortement provoqué et stérilisation), interrompue en 1958 par le Grand Bond en avant.

1962

2e campagne de planification des naissances (retard du mariage, notamment en ville), interrompue en 1966 par la Révolution culturelle.

1972

La 3e campagne de planification des naissances a été décisive ; elle s'appuie sur une mobilisation générale des structures d'encadrement et limite les naissances à un enfant unique par foyer, avec aggravation des contraintes administratives et économies sur les couples.

1984

Recul des autorités dans les campagnes et multiplication des autorisations pour un deuxième enfant.

LA FÉCONDITÉ EN CHINE

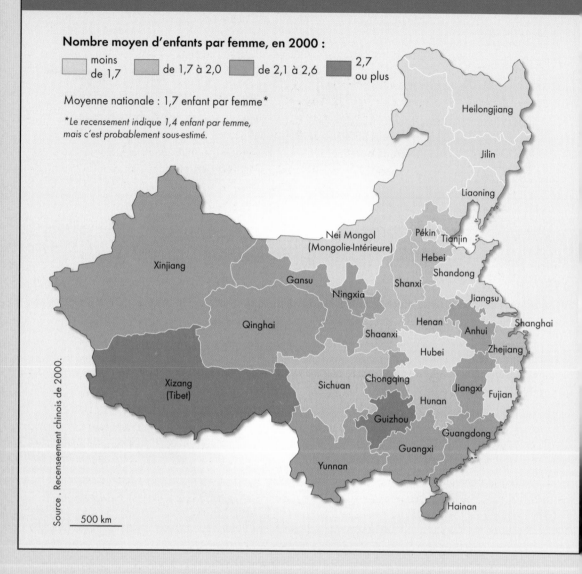

Nombre moyen d'enfants par femme, en 2000 :

☐ moins de 1,7   ☐ de 1,7 à 2,0   ☐ de 2,1 à 2,6   ■ 2,7 ou plus

Moyenne nationale : 1,7 enfant par femme*

Le recensement indique 1,4 enfant par femme, mais c'est probablement sous-estimé.

Heilongjiang

Jilin

Liaoning

Nei Mongol
(Mongolie-Intérieure)

Xinjiang

Pékin   Tianjin

Hebei

Gansu   Shandong

Ningxia   Shanxi

Jiangsu

Qinghai   Henan   Anhui   Shanghai

Shaanxi

Hubei   Zhejiang

Xizang
(Tibet)

Sichuan   Chongqing

Jiangxi   Fujian

Hunan

Guizhou

Guangdong

Guangxi

Yunnan

Hainan

Source . Recenseement chinois de 2000.

500 km

AMÉLIORER LE DÉVELOPPEMENT HUMAIN

. . . .

Les réformes inaugurées à partir de 1978 par Deng Xiaoping (libéralisation de l'économie, ouverture du pays) ont eu des effets positifs : croissance économique fulgurante, développement de la production agricole et industrielle, amélioration du niveau de vie du plus grand nombre... La Chine ne connaît plus de famines – la dernière grande famine date de 1958-1960. Grâce à la révolution verte et aux importations, elle a gagné un double défi au cours des deux dernières décennies : nourrir une population en augmentation et assurer la transition vers un régime alimentaire plus riche en viande. La sécurité alimentaire a été atteinte, mais deux problèmes subsistent : la malnutrition qui touche encore 135 millions d'individus ; le surpoids et l'obésité qui concernent de plus en plus de personnes, surtout dans les villes (J.-P. Charvet, in *Atlas des développements durables*, 2008).

L'accès au travail, à l'éducation et à la santé, qui était garanti par le régime communiste, a été progressivement démantelé par la « décollectivisation » de l'économie et la libéralisation du marché. Les réformes mises en place, qui s'appuient sur la décentralisation et la privatisation, ont aggravé les inégalités sociospatiales face au travail et aux différents services ; la précarité et de nouvelles formes de pauvreté se développent.

La Chine dispose d'une abondante main-d'œuvre. En 2006, la population active était de 782 millions de personnes : 42,6 % engagées dans le secteur primaire ; 25,2 % dans le secteur secondaire ; 32,2 % dans le secteur tertiaire. Ces taux dénotent une structure encore archaïque de l'emploi en même temps qu'ils manifestent les énormes changements enregistrés par le pays.

Cette abondance est à double tranchant. D'un côté, elle fournit un capital humain qui est un des facteurs du dynamisme économique de la Chine. Les disparités de développement entraînent des flux de migrants vers les grandes métropoles (Shanghai, Canton, Pékin), les villes et les campagnes en plein essor le long du littoral (Shenzhen, région cantonaise ou delta du Yangzi), mais aussi les capitales provinciales de l'intérieur. Une population « flottante » – trop-plein des campagnes ou victimes de la restructuration des entreprises d'État (entre 100 et 200 millions de personnes) – constitue une main-d'œuvre peu coûteuse et flexible pour les entreprises. Souvent employée dans des activités mal payées, pénibles, voire dangereuses, elle est marginalisée car elle n'a pas accès aux services publics de santé et d'éducation. Au chômage, ces « migrants » vivent dans l'illégalité pour échapper au contrôle de la mobilité de la population. Pour le moment, la Chine maintient ces contrôles de peur de susciter des flux trop importants vers les villes.

D'un autre côté, cette « masse » de population active pourrait constituer à terme une « bombe » sociale si la croissance économique ne parvenait pas à créer les millions d'emplois nécessaires, d'autant que la situation de l'emploi est déjà fragile : emplois contractuels, emplois déguisés dans les secteurs public et agricole pléthoriques... On mesure l'ampleur du défi auquel sont confrontés les dirigeants du pays : fournir du travail, mais aussi améliorer la qualification de sa main-d'œuvre qui reste encore très insuffisante pour permettre une montée en gamme des productions industrielles et des capacités d'innovation. Pour cela, l'éducation est considérée comme prioritaire, mais elle a subi de nombreux bouleversements : le service public s'est dégradé, les écoles privées se sont multipliées en ville et l'augmentation des frais de scolarité pénalise les plus pauvres. Les autorités cherchent à moderniser les structures d'enseignement et de formation professionnelle, tout particulièrement dans l'enseignement supérieur, mais leurs efforts restent limités.

En ce qui concerne la santé, un système à plusieurs vitesses a vu le jour, caractérisé par une opposition entre villes et campagnes, un inégal accès aux soins, un renchérissement des services sanitaires, une faillite des services en zones rurales. « 50 % de la population urbaine et 80 % des habitants en zone rurale ne bénéficient d'aucune couverture médicale ; 70 % des dépenses de santé publique sont affectées aux villes » (T. Sanjuan, 2007). L'État, qui prévoit une couverture médicale pour tous d'ici à 2020, doit faire face à de nouveaux problèmes de santé, comme les maladies professionnelles (silicose, saturnisme), les maladies liées à la suralimentation (diabète, hypertension et maladies coronariennes), le Sras (syndrome respiratoire aigu sévère), le sida. Les chiffres concernant cette dernière épidémie varient de 1 à 5 parce qu'il est très difficile de mesurer l'étendue de la maladie au sein d'une population nombreuse et parce qu'elle a longtemps été niée par les autorités. Les organisations internationales (Onusida, OMS, les ONG) font état de chiffres alarmants qui ont contribué à une prise de conscience progressive des autorités : mise en place de politiques de surveillance, d'information et de prévention, qui demeurent toutefois insuffisantes.

Dans ces dernières années, la Chine, consciente de ses insuffisances, a entrepris des réformes et renforcé l'ouverture (envoi d'étudiants à l'étranger, collaboration avec la communauté internationale), mais son pari de modernisation est loin d'être gagné en raison du poids du nombre.

GÉRER DURABLEMENT L'ENVIRONNEMENT

Si la Chine compte 22 % de la population mondiale, son territoire représente seulement 7 % des terres émergées, 9 % des terres cultivées, 6 % des ressources en eau, 4 % du patrimoine forestier mondial. En outre, ressources et fortes densités ne se recouvrent pas. La Chine s'est toujours caractérisée par de fortes disparités dans la distribution de sa population : la Chine des densités supérieures à 600 habitants par kilomètre carré correspond aux deltas littoraux et aux plaines du Nord-Est et de l'intérieur. Cette dissymétrie au profit de l'est de la Chine s'est accentuée avec l'augmentation de la population et le développement du pays. La Chine dite littorale (en incluant Pékin et le Guangxi) représente 14 % du territoire chinois et compte 43 % de la population ; en revanche, l'Ouest, qui

CONTRAINTES ET RISQUES ENVIRONNEMENTAUX EN CHINE

Les pollutions industrielles par type et par province

Très forte pollution générale (eaux et air)

Forte pollution générale (air, déchets)

Forte pollution générale (déchets)

Pollution proche de la moyenne (déchets)

Pollution légèrement inférieure à la moyenne

Source : Chine-informations.com

Pollution industrielle

Agglomération très touchée

Concentration d'industries polluantes

Aménagements hydrauliques et risques

Grand barrage

Canal de dérivation en cours de construction

Autres grands projets de canalisation

Risque d'ensablement

Menaces sur l'équilibre naturel et la biodiversité

Réchauffement climatique : fonte des glaciers, risques d'inondation

Désertification : vents de sable, dégradation des sols

Déforestation : augmentation des risques d'inondation

D'après *Atlas du Monde diplomatique*, Armand Colin, Paris, 2006.

La carte met en évidence l'importance des questions environne-mentales en Chine. Dans les années 1950, ce pays a développé une industrie lourde très polluante. Celle-ci est toujours d'actualité, en relation notamment avec l'usage du charbon, qui demeure en Chine la principale source d'énergie. La pollution atmosphérique, le smog, touche les mégapoles, Shanghai, Pékin… La Chine souffre aussi d'une forte pollution de l'eau (les travaux sur la rivière des Perles conduits par É. Dorier-Apprill en témoignent) et d'une gestion des déchets insuffisante. Il faut ajouter à ce tableau peu engageant des risques de désertification dans les espaces semi-arides du nord et de l'ouest du pays, ainsi que les problèmes liés à l'eau qui fait défaut à la capitale et qui viendra du Yangzi au prix de travaux gigantesques.

correspond à 56 % du territoire chinois, ne compte que 11 % de la population. Au sein de la Chine littorale, la croissance de la population est le fait des villes et des espaces ruraux proches des villes, y compris les grandes villes de l'intérieur.

La population urbaine, entre 1975 et 1995, est passée de 160 à 370 millions, pour atteindre 455 millions aujourd'hui. Le décollage urbain s'est opéré vers 1980 et la croissance a atteint une moyenne de 3,8 % par an depuis 1975. Chaque année, la population urbaine croît de 10 millions ; à ce rythme, la Chine est en passe de devenir un pays majoritairement urbain. Les dernières projections de l'ONU envisagent un taux de population urbaine de 53,2 % en 2020 et de plus de 60 % en 2030. La Chine compte 87 villes entre 1 et 5 millions d'habitants, 9 agglomérations de plus de 5 millions d'habitants, 14 de plus de 2 millions ; la moitié de ces villes se situent dans les provinces maritimes entre Pékin et Shanghai.

Les ressources sont fortement sollicitées pour répondre aux besoins des masses urbaines et rurales. Par exemple, pour compenser les ressources hydriques très abondamment exploitées dans la région à l'est du fleuve Yangzi, le gouvernement a multiplié les grands aménagements (détournements hydrauliques à partir du Yangzi).
La concentration des populations, l'exploitation des ressources liée aux politiques de développement lancées à la fin des années 1970, peu soucieuses de considérations environnementales, ont accru les dégradations de l'environnement (voir p. 53,

Contraintes et risques environnementaux en Chine). La pollution des eaux, de l'air, l'érosion des sols, la désertification, la réduction de la biodiversité ont atteint des niveaux alarmants dans plusieurs régions. Dans les grandes agglomérations, le recours massif au charbon pour le chauffage ou la production d'électricité, ainsi que la forte croissance récente du parc automobile expliquent que la qualité de l'air s'est fortement dégradée. Selon la Banque mondiale, en 2007, la Chine comptait 12 des 20 villes les plus polluées au monde, dont Beijing, Shanghai, Jilin, Taiyuan, Lanzhou et Urumqi.

Le gouvernement chinois a pris conscience du coût économique, social et sanitaire de la dégradation de l'environnement et décidé, dans les orientations du XIe plan (2006-2010), la mise en place d'une stratégie de développement durable : l'ensemble des politiques publiques doit concourir à la formation d'une « société harmonieuse », en prenant en compte davantage les plus pauvres, les régions en retard et les générations futures. Mais il y a un écart entre les objectifs et les réalités.

- - - - - - - - - - - -

EN CONCLUSION

- - - - - - - - - - - -

Après trois décennies de contrôle strict des naissances, la menace d'une pression démographique trop forte pour le pays s'est éloignée. Aujourd'hui, les dirigeants chinois, craignant d'être allés trop loin dans la politique de limitation des naissances, ont accepté quelques assouplissements. Les mutations économiques et sociales ont créé bon nombre de laissés-pour-compte : les paysans, les personnes âgées, la «population flottante»... Les inégalités entre sexes, entre villes et campagnes, entre régions se creusent. La Chine dit vouloir prendre le tournant du développement durable. S'agit-il d'un discours de façade ou d'une volonté affichée des autorités ? Même si les aspects écologiques s'améliorent fortement dans les années à venir – ce qui ne se fera pas aisément –, la Chine demeurera loin du développement durable en raison des inégalités sociales et spatiales qui la caractérisent encore.

03

IDÉES REÇUES, PIÈGES À ÉVITER

→ La vie d'antan proche de la nature était meilleure pour la santé que la vie d'aujourd'hui.

→ La vie moderne et le développement de la technique sont à l'origine d'une dégradation de la qualité de vie et de problèmes de santé spécifiques.

→ La grande ville induit de nombreux problèmes de santé par opposition à la campagne.

LA SANTÉ DES POPULATIONS, INDICATEUR DE DÉVELOPPEMENT DURABLE?

L'histoire nous montre les relations complexes et étroites qui lient la santé des populations, l'hygiène et le niveau de développement. Les grandes épidémies (la peste notamment) qui ont jalonné l'histoire de l'Europe en témoignent. La santé a été reconnue en 1966 par la Charte universelle des droits de l'homme comme un droit universel des populations. L'état de santé d'une population est un indicateur du niveau de développement de celle-ci; il traduit des modes de vie, des politiques de soins, la qualité de l'environnement. En 1986, l'OMS soulignait qu'en matière de santé les « conditions et ressources préalables sont la paix, un abri, de la nourriture et un revenu. La santé renvoie aux conditions d'existence des individus. Elle a acquis un "statut prioritaire" au sein de la coopération internationale lors de la conférence mondiale de Johannesburg en 2002. Une santé de qualité est un préalable au développement durable » (J.-M. Amat-Roze, 2007).

• Quels liens existe-t-il entre la santé et l'environnement ?
• Les populations des pays riches et des pays pauvres sont-elles égales en termes de santé ?
• Vivre dans un pays à faible empreinte écologique signifie-t-il avoir une meilleure santé ?

SANTÉ ET ENVIRONNEMENT : DES LIENS COMPLEXES

En Europe, les grandes épidémies de peste apparues régulièrement et ayant provoqué des millions de morts étaient directement liées à la mauvaise qualité de l'environnement (rôle des rats et des puces). Il en est de même pour les épidémies de choléra qui se sont succédé au XIXe siècle en Europe (à Londres en 1832, à Marseille en 1835…) ; elles résultaient de la mauvaise qualité de l'eau, en ville souvent livrée à domicile par des porteurs d'eau. C'est Haussmann, préfet de la Seine de 1853 à 1870, qui construisit un réseau d'eau potable, améliorant fortement la qualité de l'eau, au moment même où les égouts étaient modernisés et développés. À l'époque médiévale, les villes européennes, serrées dans leurs remparts à l'intérieur desquels coexistaient hommes et animaux, étaient dépourvues de système d'accès à l'eau potable, de gestion des eaux usées, de ramassage des déchets. Les épidémies s'y propageaient rapidement et de manière récurrente. Cette situation a perduré jusqu'au XIXe siècle, les quartiers insalubres des villes souvent très denses et mal aérés ont vu se développer la tuberculose. C'est à cette époque que le mouvement « hygiéniste » a établi les relations entre certaines maladies et les spécificités de l'urbanisme et de l'habitat. De grands aménagements ont conduit à des villes plus aérées, plus riches en espaces verts, où les égouts, l'adduction d'eau potable et le système de ramassage des déchets se sont développés… Au XIXe siècle également, l'industrialisation a engendré des pollutions atmosphériques considérables : le *smog*, brouillard toxique de Londres, a fait des victimes à Londres jusqu'au milieu du XXe siècle, quand des mesures ont été prises pour faire disparaître la pollution par le soufre liée à l'utilisation du charbon.

La qualité de vie s'est grandement améliorée dans les pays riches. Les villes, notamment les plus grandes en Europe, ne sont pas ces lieux de tous les maux, parfois dénoncés en raison d'un environnement considéré comme très dégradé. La qualité de vie s'y traduit par un allongement de l'espérance de vie, par une réduction de la mortalité infantile *(voir p. 61, La mortalité infantile dans le monde entre 1997 et 2007)*, qui résulte globalement de l'amélioration de l'hygiène, d'une alimentation suffisante et équilibrée, d'un environnement de qualité, d'un système de soins performant. Ces améliorations ne signifient pas que la qualité de la vie en ville est désormais totalement satisfaisante, la pollution subsiste, liée aux transports notamment. Aujourd'hui, dans les pays riches, le vieillissement introduit une nouvelle donne dans les questions de santé, imposant un encadrement sanitaire spécifique.

Encore près de 2 milliards de personnes n'ont pas accès à l'eau potable dans les pays en développement. Les eaux usées polluent sols, fleuves, rivières et nappes; les déchets ne sont pas collectés. Pasteur soulignait que «nous buvons 90 % de nos maladies». Les maladies hydriques liées à l'insuffisance d'infrastructures pour l'eau potable et pour les eaux usées sont la première cause de mortalité au monde, avant même la malnutrition. Dans beaucoup de pays du Sud, l'eau est responsable de nombreuses maladies: diarrhées, paludisme, poliomyélite, hépatite, maladies parasitaires (bilharziose). Les vers intestinaux touchent plus de 10 % de la population des pays pauvres; la cécité liée au trachome affecte 6 millions de personnes. Quatre-vingt-dix épidémies de choléra se sont produites depuis dix ans dans les pays du Sud, 200 millions de personnes sont infestées par la bilharziose.

Dans les pays pauvres, l'environnement mal maîtrisé et le mauvais état de santé sont liés: le tableau ci-dessous le démontre avec force.

L'environnement dans les pays en développement	Conséquences sur la santé des populations
Déficit d'approvisionnement en eau Eau plus ou moins potable Absence d'assainissement	Diarrhées, maladies parasitaires (amibiase, vers intestinaux, poliomyélite, hépatite A)
Eau de surface polluée Déchets non collectés	Moustiques: vecteurs de maladies parasitaires, de paludisme, de maladies virales (dengue)
Surpeuplement des logements Pollution domestique, fumées	Maladies respiratoires, cancers du poumon
Exposition aux substances toxiques Pollution automobile ou industrielle	Maladies respiratoires, cutanées, cancers, saturnisme, allergies
Modes de production et de conservation des aliments humains et animaux non satisfaisants	Cancers, maladies parasitaires et infectieuses
Dégradation des écosystèmes, catastrophes naturelles, désertification	Malnutrition, épidémies
Changement climatique	Possibilité d'effets multiples: développement et extension de maladies parasitaires virales, augmentation possible de l'insécurité alimentaire

D'après J.-M. Amat-Roze, in *Le Développement durable*, sous la direction de Y. Veyret, Paris, Sedes, 2007.

Dans les pays riches, ce sont plutôt les pollutions qui sont à l'origine de problèmes de santé: pollution atmosphérique (asthme, allergies), pollution des

LA MORTALITÉ INFANTILE DANS LE MONDE ENTRE 1997 ET 2007

Part des enfants morts avant l'âge de 1 an pour 1 000 naissances vivantes

Moyenne mondiale : 52,0

- 100,1 à 160,9
- 52,4 à 99,0
- 27,2 à 49,2
- 10,5 à 24,7
- 5,0 à 9,9
- 2,9 à 4,9
- Absence de données

Source : Nations unies, *World Urbanization Prospects*, 2007.

3 000 km

(échelle à l'équateur, projection Winkel Triple)

Comme l'espérance de vie, la mortalité infantile est un indicateur des conditions socioéconomiques et de l'efficacité ou de l'absence de politique sociale et de santé publique. En effet, la mortalité infantile dépend fortement des conditions de vie, du milieu social, mais aussi de l'éducation, notamment celle des femmes. À l'échelle mondiale, le taux de mortalité infantile est passé de 96 ‰ naissances vivantes à 52 ‰ en 2006 ; néanmoins, de fortes disparités existent entre l'Afrique subsaharienne où le taux demeure très élevé (plus de 100 ‰) et les pays riches (Europe, États-Unis). La mortalité infantile est donc un indicateur du mal-développement.

eaux ou des sols… Certaines activités industrielles sont responsables de maladies graves: la silicose affectait autrefois les mineurs; l'amiante est encore tristement célèbre, comme le plomb responsable du saturnisme…

Pourtant, il est parfois difficile d'établir des liens directs entre santé, maladies et qualité de l'environnement. Jeanne-Marie Amat-Roze (2007) cite le cas de l'asthme dans les pays riches. L'augmentation des cas d'asthme, pour lequel le grand public établit une relation avec la pollution de l'air, est peut-être davantage à relier à l'effacement de certaines infections et au recul associé des stimulants de l'immunité. Dans les années 1990, l'asthme était plus fréquent en Allemagne de l'Ouest qu'en Allemagne de l'Est, alors que le niveau socioéconomique était plus élevé à l'Ouest qu'à l'Est, l'atmosphère plus polluée à l'Est. On sait aussi que, dans beaucoup de cas, les effets de la pollution atmosphérique sont moins importants que ceux de la pollution présente à l'intérieur des appartements, notamment la pollution liée au tabagisme.

LA SANTÉ, INDICATEUR D'INÉGALITÉS SOCIOÉCONOMIQUES ET ENVIRONNEMENTALES

Les pays à hauts ou moyens revenus accordent environ 8 % du revenu national (PIB) à la santé, ce qui correspond à des sommes variant entre 1 000 et 4 000 dollars américains par personne et par an. La santé y est généralement prise en charge par les États (France) et les assurances, les dépenses de santé constituant un pôle majeur des dépenses publiques. Dans les pays du Sud, les sommes affectées sont faibles: 1 à 3 % du PIB revient à la santé; l'État est généralement défaillant; les habitants doivent faire face à ces dépenses. La population des pays pauvres pâtit des insuffisances des systèmes de santé. Elle consacre en moyenne aux soins de 2 à 50 dollars américains par habitant, ce qui exclut d'avoir recours à un système de santé performant. Cette situation prévaut en Afrique, en Inde, dans les pays de la péninsule Indochinoise et aux Philippines, en Amérique latine *(voir ci-contre, Les disparités des dépenses de santé dans le monde)*.

Une corrélation existe entre la densité médicale (nombre de médecins ou d'infirmières, couverture vaccinale…) et l'état de santé des populations. Ainsi, l'Afrique subsaharienne, qui supporte 24 % du fardeau mondial des maladies, ne compte que 3 % du personnel de santé. Les hôpitaux et les centres de soins, notoirement insuffisants, sont souvent mal équipés en matériel et en personnel. Selon l'Organisation mondiale de la santé (OMS), près de 60 millions de personnels de santé (dans ce chiffre sont inclus les bénévoles et le personnel administratif) sont répartis dans le monde de façon très inégale: ces personnels sont nombreux dans les pays riches et en faible nombre dans les pays pauvres.

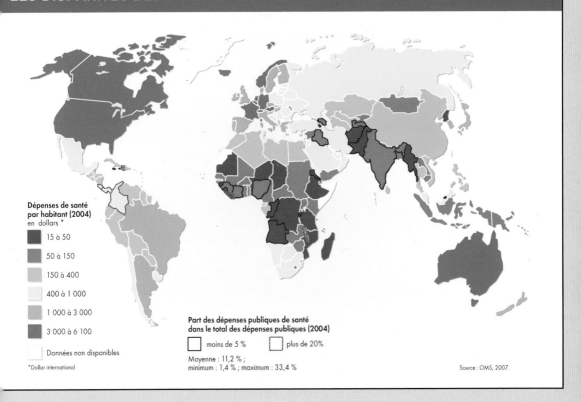

**Dépenses de santé
par habitant (2004)**
en dollars *

- 15 à 50
- 50 à 150
- 150 à 400
- 400 à 1 000
- 1 000 à 3 000
- 3 000 à 6 100
- Données non disponibles

*Dollar international

**Part des dépenses publiques de santé
dans le total des dépenses publiques (2004)**
☐ moins de 5 %   ☐ plus de 20%

Moyenne : 11,2 % ;
minimum : 1,4 % ; maximum : 33,4 %

Source : OMS, 2007.

Ce document montre les inégalités criantes dans les dépenses de santé entre les différents pays du monde. Il s'agit encore d'un indicateur du mal-développement, comme en témoignent les exemples de l'Afrique subsaharienne, de l'Inde... Ces dépenses de santé recouvrent l'existence ou l'absence de possibilités financières pour les populations leur permettant ou ne leur permettant pas d'accéder aux soins ; elles révèlent aussi la présence ou l'absence d'équipements et de systèmes de soins. L'analyse par État est insuffisante, des inégalités fortes existent au sein des pays riches comme au sein des pays pauvres.

Des différences existent aussi entre milieu rural et milieu urbain. Le personnel est toujours plus nombreux en ville – cela vaut aussi bien pour les pays riches que pour les autres. Ainsi, en 2004, en Picardie, région rurale, on comptait 256 médecins pour 100 000 habitants contre 426 en Île-de-France (G. Salem et Z. Vaillant, 2008).

Le marché des produits pharmaceutiques, dans beaucoup de pays pauvres, notamment en Afrique subsaharienne, est dominé par les pays riches : États-Unis, Canada, Europe, Japon. Les grands laboratoires de ces pays, qui ont une gestion essentiellement financière, se préoccupent peu des populations pauvres qui ne sont pas des cibles commerciales principales. Ces pays sont donc les lieux privilégiés de vente de faux médicaments.

Toutefois, les pays pauvres ne constituent pas un ensemble homogène. Si, à l'échelle mondiale, les indicateurs traduisent globalement une amélioration de la santé, liée pour certains pays au moins à une meilleure qualité de l'eau, au recul de la pauvreté accompagné d'une meilleure alimentation, ces mêmes indicateurs témoignent de très fortes inégalités sociales et spatiales qui semblent plutôt en augmentation. Ainsi, les écarts entre les valeurs extrêmes s'accroissent. L'espérance de vie d'une fillette au Japon est de 85,4 ans, celle d'une fillette née en Zambie de 36,9 ans. Dans 16 pays dont 14 sont africains, les taux de mortalité sont désormais plus élevés qu'en 1990. C'est la conséquence de la malnutrition, du virus du sida, des maladies telles que le paludisme et des guerres. Dans les pays émergents (Chine, Brésil, Inde), la situation d'ensemble s'améliore et l'espérance de vie augmente, mais les campagnes demeurent des lieux de pauvreté où la santé est plus précaire qu'en ville. D'autres inégalités apparaissent aujourd'hui entre pays riches et pays pauvres, et entre riches des pays pauvres et le reste de la population.

L'obésité s'explique par les modifications des modes de vie. D'ici à 2015, plus de 2 milliards d'adultes seront en surpoids et plus de 700 millions de personnes seront obèses (G. Salem et Z. Vaillant, 2008). Ce phénomène est lié à l'urbanisation, à des changements dans les modes de vie, à la consommation d'aliments trop caloriques riches en graisses et en sucres, pauvres en vitamines et en minéraux, à une vie trop sédentaire. Le surpoids est responsable de maladies cardiovasculaires, de troubles ostéo-articulaires et de décès prématurés.

LES ACTEURS DES SOINS DANS LES PAYS EN DÉVELOPPEMENT

De nombreuses organisations se mobilisent pour la santé dans les pays du Sud. La Banque mondiale et le Fonds monétaire international (FMI) apportent leur contribution, à laquelle s'ajoutent des fonds privés. Ainsi, la fondation de Bill et Melinda Gate (BMG Foundation) fournit 30 milliards de dollars, une somme importante rapportée à l'aide accordée par les pays riches aux pays pauvres au titre du développement. Le but est de lutter contre la maladie, la misère et l'ignorance.

D'autres organisations non gouvernementales (ONG), comme la Drugs for Neglected Diseases initiative (DNDi), relèvent de la même démarche. DNDi finance la recherche pour développer de nouveaux médicaments contre les maladies tropicales, la maladie du sommeil, les leishmanioses viscérales et cutanées, la maladie de Chagas en Amérique latine et le paludisme. Médecins sans frontières ou l'Institut Pasteur sont également très présents. Ces aides diverses demeurent inégalement réparties et notoirement insuffisantes : elles ne peuvent remplacer une organisation étatique « irriguant » l'ensemble d'un territoire.

Dans les pays pauvres, la situation de crise oblige à faire appel à l'aide internationale, comme en a témoigné le cas du Cameroun en 2004.

Les acteurs face à l'épidémie de choléra au Cameroun en 2004

Partenaires	Apports
Organisation mondiale de la santé (OMS)	Mise à disposition d'un épidémiologiste et d'un chargé de communication pour améliorer l'impact des messages de prévention
Organisation allemande de coopération technique	Appui direct en épidémiologie (personnel et matériel)
Croix-Rouge	Sensibilisation des populations concernées Prise en charge des cas déclarés
Médecins sans frontières (Suisse)	Assainissement des eaux Prise en charge des patients Amélioration de la qualité des soins
Coopération française	Expertise médicale et renforcement des capacités en personnel médical Appui médical Appui financier à hauteur de 40 000 euros Fourniture de produits d'hygiène Formation

D'après É. Dorier-Apprill, *Ville et Environnement*, Paris, Sedes, 2005.

Une veille sanitaire existe dans les pays développés. Elle informe les populations des risques sanitaires et les services de santé sont en principe préparés à intervenir en cas de développement d'une épidémie. Pourtant, en dépit de l'existence de tels dispositifs, la canicule a surpris les pouvoirs publics et les populations au cours de l'été 2003 en France ; elle a fait un grand nombre de victimes.

L'état de santé des populations est ainsi un indicateur remarquable des inégalités de développement, de la pauvreté, de l'absence d'éducation (notamment des filles), de la sous-alimentation, d'une alimentation carencée ou au contraire trop riche. Pour mettre en œuvre le développement durable, les populations doivent être dans un état de santé globalement satisfaisant, appuyé sur un réseau bien réparti de professionnels de santé compétents et équipés. Dans le cas contraire, la marche sera encore longue vers un développement durable qui nécessite de sortir de la pauvreté pour envisager une véritable amélioration en matière de santé.

L'ÉPIDÉMIE DE SIDA EN AFRIQUE AUSTRALE : LIMITE AU DÉVELOPPEMENT DURABLE ?

Le sida est une épidémie qui touche l'ensemble de la planète. Le *Rapport sur l'épidémie mondiale de sida* (Onusida, 2008) estimait pour 2007 à 33 millions le nombre de personnes affectées par le virus de l'immunodéficience humaine (VIH) dans le monde et à 2 millions le nombre de décès dus au sida. L'Afrique subsaharienne est la région du monde la plus touchée par l'épidémie : 75 % des décès dus au sida dans le monde y surviennent ; 67 % des adultes et 90 % des enfants séropositifs dans le monde y vivent, soit 22,5 millions d'individus. En son sein, l'Afrique australe est le territoire le plus infecté. Quelles sont les caractéristiques de l'épidémie en Afrique australe ? Quelles sont les raisons de cette plus grande vulnérabilité ? Quels sont les impacts sur les populations, sur les économies et sur le développement durable ?

LE SIDA, UN FLÉAU EN AFRIQUE AUSTRALE

. . . .

En Afrique subsaharienne, c'est l'Afrique australe – soit neuf pays : la Namibie, l'Afrique du Sud, le Botswana, le Lesotho, le Swaziland, la Zambie, le Zimbabwe, le Malawi, le Mozambique et 2 % de la population mondiale – qui supporte la part la plus importante du fardeau mondial du VIH : 35 % des infections à VIH et 36 % des décès dus au sida dans le monde en 2007 s'y sont produits. Dans ces pays, plus du quart de la population adulte est séropositive. Par exemple, on estime à 5,7 millions le nombre de Sud-Africains qui vivaient avec le VIH en 2007. L'Afrique australe connaît une véritable explosion de l'épidémie, associée en outre à d'autres maladies (paludisme, tuberculose).

L'Afrique subsaharienne, et plus particulièrement l'Afrique australe, se signale par quelques spécificités : le caractère féminin de l'épidémie (en 2007, les femmes représentaient 60 % de toutes les personnes vivant avec le VIH contre 50 % dans le monde) ; un taux de mortalité infantile supérieur à 100 ‰ (taux moyen à l'échelle mondiale : 96 ‰) ; la progression de l'épidémie chez les jeunes adultes (40 % des nouvelles infections en 2006 concernent les 15-24 ans). Le sida est une maladie de masse qui touche toutes les tranches d'âge, toutes les catégories socioprofessionnelles et, à des niveaux élevés, tous les territoires : l'Afrique du Sud et le Botswana, deux des pays les plus riches de l'Afrique

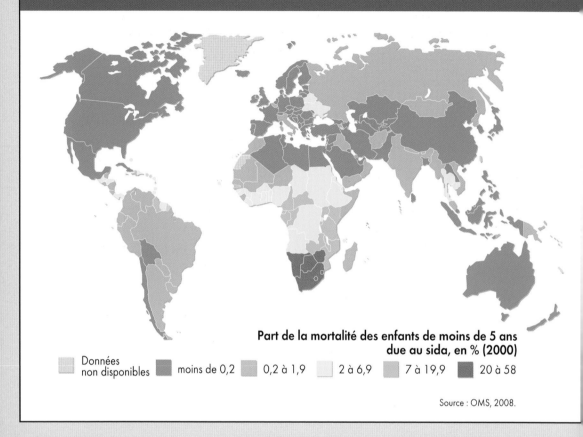

SIDA ET MORTALITÉ : LES ENFANTS DE MOINS DE 5 ANS DANS LE MONDE

Part de la mortalité des enfants de moins de 5 ans due au sida, en % (2000)

Données non disponibles | moins de 0,2 | 0,2 à 1,9 | 2 à 6,9 | 7 à 19,9 | 20 à 58

Source : OMS, 2008.

La mortalité infantile est, dans certains pays, largement due à l'épidémie de sida. Ce document montre l'importance de ce phénomène en Afrique subsaharienne, région du monde qui paie le plus lourd tribut à l'épidémie. Le taux très bas de mortalité infantile due au sida n'a peut-être pas la même signification dans tous les pays concernés : la Chine, par exemple, fournit peu de données sur l'épidémie. Les pays riches, en revanche, par le biais d'une surveillance des femmes enceintes porteuses du virus et des jeunes enfants à risque, enregistrent une très faible mortalité infantile due à la maladie.

australe *(voir p. 68, Sida et mortalité : les enfants de moins de 5 ans dans le monde)*, présentent respectivement des taux de prévalence de 18,8 % et de 24,1 % (Onusida, 2008). Dans certains pays, la situation s'est aggravée au cours des années 1995-2005 : c'est le cas du Botswana, du Swaziland et du Zimbabwe.

L'explosion de l'infection et son caractère massif résultent de causes multiples. Les migrations humaines et l'urbanisation semblent jouer un rôle important. Les flux de population (l'exode rural, les migrations temporaires de travail, de réfugiés) sont des vecteurs de passage du virus d'un individu à l'autre. S'y ajoutent les modes de vie et les comportements sexuels : ménages éclatés entre ville et campagne, grand nombre de célibataires hommes ou femmes dans les villes, partenariats sexuels multiples, inégalités au sein du couple (la domination de l'homme sur la femme)... Le faible pourcentage des malades soignés, les difficultés de la prévention dues à l'absence d'éducation, le manque de ressources et/ou de volonté au niveau des États, la lenteur de la diffusion des médicaments génériques, le climat d'insécurité qui règne dans certaines régions ont amplifié la maladie. En Afrique australe, l'épidémie présente des singularités : prédominance de la contamination hétérosexuelle et de la transmission mère-enfant ; nombre de jeunes adultes contaminés ; prévalence plus forte du VIH chez les adultes ayant les niveaux de richesse les plus élevés. Ce dernier aspect serait lié au fait que les personnes financièrement aisées et plus instruites ont en général une plus grande autonomie sexuelle,

changent plus souvent de partenaires, se déplacent plus souvent et vivent en ville. Les mesures de prévention, d'après des rapports de l'OMS et des Nations unies (2006, 2007), ne parviennent pas à suivre la propagation de l'épidémie. Moins d'un tiers des jeunes hommes et à peu près un cinquième des jeunes femmes n'ont pas une connaissance complète et correcte de la maladie. Les malades étant victimes de stigmatisation, de discrimination et même d'exclusion, beaucoup de personnes hésitent à procéder au test ou à révéler leur séropositivité. Seulement un peu plus de 10 % des femmes enceintes séropositives bénéficient des services permettant d'éviter la transmission du virus à leurs nouveau-nés. Bien que des actions visent à fournir des traitements aux personnes malades, seul un quart des malades peut bénéficier d'une thérapie antirétrovirale.

LES CONSÉQUENCES DE L'ÉPIDÉMIE DE SIDA

. . . .

Dans ces pays durement touchés par l'épidémie de sida, la maladie a réduit l'espérance de vie et accru la mortalité, aggravé la pauvreté dans les ménages et les populations les plus vulnérables, affaibli l'encadrement et fragilisé les économies nationales.

Les impacts démographiques de la maladie sont dramatiques. En Afrique subsaharienne, le taux de contamination dans la tranche d'âge des 15-40 ans ayant atteint 30 %, les effets combinés des décès prématurés liés au sida et à ses maladies opportunistes et de la baisse de la fécondité parmi les femmes séropositives au

VIH conduisent à envisager d'importantes conséquences démographiques. Selon les projections établies par les Nations unies, le nombre d'habitants des 38 pays africains les plus affectés accusera un manque de 91 millions en 2015 et de 320 millions en 2050, soit 7 à 19 % de leur population. Les pays les plus contaminés de l'Afrique australe seront privés de 26 millions d'habitants en 2015 et de 77 millions en 2050, soit 19 à 36 % de leur population.

Selon les travaux de l'Organisation des Nations unies (ONU), l'espérance de vie à la naissance, après avoir augmenté de 35 ans en 1945 à 53 ans en 2000, diminue parfois de manière spectaculaire. En Afrique australe, on estime que l'espérance de vie moyenne à la naissance est maintenant inférieure à 50 ans, et à 40 ans au Zimbabwe. L'Afrique du Sud pourrait perdre dix ans d'espérance de vie d'ici à 2020-2025 et, pour l'ensemble des neuf pays de l'Afrique australe, l'espérance de vie y reculera, d'ici à 2015, de dix-sept ans : au lieu d'atteindre 64 ans si le sida n'existait pas, elle sera de 47 ans. Selon une enquête américaine au Botswana, le pays le plus affecté avec un taux de contamination de 39 % chez les 15-49 ans, l'espérance de vie y descendrait même, en 2030, à 27 ans *(voir ci-contre, La pyramide des âges au Botswana et L'espérance de vie avec et sans sida en Afrique australe)*.

La structure de la population est profondément remaniée : « Dans les pays les plus atteints, comme le Lesotho, le Swaziland, les groupes les plus touchés par le VIH sont les nouveau-nés, les jeunes enfants et les adultes de 30 à 50 ans. Ce dernier groupe constitue généralement le cœur même de l'activité économique et la population en âge d'élever des enfants » (Onusida, 2008).

Le sida enfonce les pays dans la pauvreté ou freine leur développement car, en frappant les forces vives, classes d'âge dont dépendent les performances économiques, il entraîne perte de revenus, accroissement des dépenses de santé, augmentation des personnes à charge avec un nombre réduit d'adultes en âge de travailler et apparition de générations d'orphelins, déstructuration de la famille. Par exemple, au Botswana et en Zambie, on estime à 20 % le nombre des enfants de moins de 17 ans orphelins à cause du VIH ; ce taux s'élève jusqu'à 24 % au Zimbabwe. Outre de nombreux orphelins à la charge des grands-parents, il y a désormais des enfants chefs de famille ou des fratries dispersées. Le décès précoce des parents perturbe aussi le transfert des connaissances et des compétences aux enfants, et la prise en charge des orphelins constitue une charge pour les familles et les États. Plus grave encore, on assiste à une baisse de la production agricole par manque de forces vives. Plusieurs pays d'Afrique australe (le Lesotho, le Malawi, le Swaziland et le Zimbabwe) sont ainsi concernés par l'insécurité alimentaire. Sans l'aide alimentaire, plus de 13 millions de personnes seraient victimes de la disette ou de la faim. Le sida se rajoute aux aléas climatiques (sécheresse, inondations), à une situation économique et politique dégradée, pour accroître la vulnérabilité des ménages. La pénurie de main-d'œuvre, l'absentéisme et la baisse de la productivité qui touchent tous les secteurs économiques et tous les groupes socioprofessionnels sapent les capacités des États à faire face à la pandémie.

LA PYRAMIDE DES ÂGES AU BOTSWANA

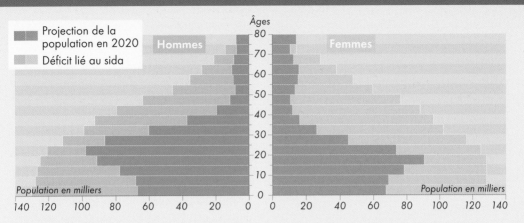

Avec près de 40 % de femmes enceintes et 19 % de la population totale séropositive, soit 300 000 personnes, le Botswana est l'un des pays d'Afrique les plus touchés par l'épidémie de sida. L'espérance de vie, de 46 ans en 2000, pourrait tomber à 29 ans d'ici 2020 si la tendance se poursuivait.

D'après : US Census Bureau, World Population Profile 2000, in S. Brunel, *L'Afrique,* Bréal, Paris, 2003.

L'ESPÉRANCE DE VIE AVEC ET SANS SIDA EN AFRIQUE AUSTRALE

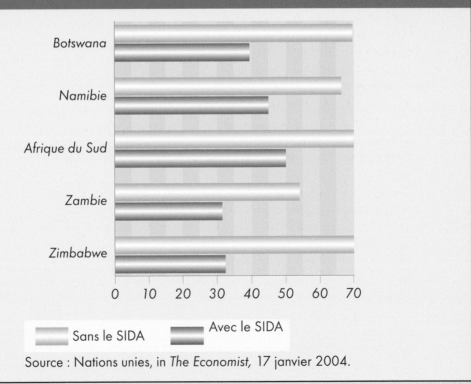

Source : Nations unies, in *The Economist,* 17 janvier 2004.

ACTEURS ET ORGANISATIONS FACE À L'ÉPIDÉMIE

· · · · · · · · · · · · · · · ·

Dans les années 1980, pour des raisons politiques ou d'image, les responsables ont d'abord minimisé l'importance de la maladie, allant jusqu'à nier son existence ou la cantonnant à certains groupes à risques. Aucune politique de prévention ou de suivi des malades n'étant mise en place, la maladie s'est diffusée à un rythme accéléré. L'explosion de l'infection dans les années 1990 a imposé la mobilisation des acteurs nationaux et internationaux. Les premières réactions provenant d'ONG, d'organisations confessionnelles ou de quelques responsables d'État avec le soutien des grandes organisations internationales étaient dispersées et insuffisantes. Elles oscillaient entre des campagnes mettant l'accent sur l'abstinence, la fidélité et la protection et/ou des tentatives pour vulgariser le préservatif. Un véritable tournant s'est opéré à partir de 1996 avec les premières mises en vente (certes limitées) de la formule des trithérapies par les grands laboratoires du Nord ; puis, avec celle des génériques, la lutte s'est intensifiée.

À partir de 2000, la communauté internationale (institutions, gouvernements, grandes entreprises, ONG...) a reconnu la place centrale de la lutte contre le VIH pour la santé et le bien-être futurs de la planète ; l'objectif n° 6 des Objectifs du millénaire pour le développement (OMD) fait de la lutte contre le VIH, le paludisme et la tuberculose l'une des priorités sur le plan de la santé au XXIe siècle. La mobilisation générale commence à porter ses fruits. Les pays de l'Afrique australe bénéficient des efforts considérables qui ont été faits sur la voie de l'« accès universel » aux thérapies. Des progrès notables ont permis d'élargir l'accès aux traitements antirétroviraux et à la prévention de la transmission mère-enfant grâce à l'amélioration des services et des équipements et plus globalement au renforcement des systèmes de santé. En Namibie où elle était inférieure à 1 % en 2003, la couverture des traitements atteignait en 2007 88 % des personnes qui en avaient besoin ; le Botswana fait partie des pays ayant réalisé le meilleur taux de couverture en matière de traitement anti-VIH avec une offre d'antirétroviraux en 2007 supérieure à 90 % des personnes qui en avaient besoin. Parallèlement, des efforts sont faits pour intégrer une prévention au VIH dans les programmes scolaires, pour toucher les personnes non scolarisées et les plus exposées. Des politiques de prise en charge des orphelins se sont développées.

- - - - - - - - - - - - -

EN CONCLUSION

- - - - - - - - - - - - -

S'agissant des indicateurs démographiques qui soulignent les liens réciproques entre l'état de santé et le développement durable, l'Afrique australe se singularise par la vigueur du recul de ces indicateurs. Les neuf pays de l'Afrique australe qui pouvaient se flatter d'avoir réalisé des avancées remarquables en matière d'espérance de vie, de survie des enfants, au cours des années 1970-1980, ont vu ces efforts réduits à néant par l'épidémie de sida. Le VIH aura de longues répercussions dont les effets secondaires se feront longtemps sentir dans les pays de l'Afrique australe. Une riposte efficace et durable est vitale pour la réalisation des OMD. Elle passe par la solidarité Nord-Sud pour un élargissement et une intensification de l'accès aux soins, de l'éducation, de la prévention pour lutter contre la maladie.

04

EN QUOI L'ÉDUCATION EST-ELLE UNE DES COMPOSANTES DU DÉVELOPPEMENT DURABLE?

L'éducation est un enjeu majeur du développement durable. Il ne peut y avoir de développement, de sortie de la pauvreté, d'amélioration de la santé sans l'accès à la connaissance et à l'éducation. L'indice de développement humain (IDH) prend en compte le taux de scolarisation de la population d'un pays pour en caractériser les spécificités en termes de développement. L'implantation de réseaux d'écoles a un coût et nécessite du personnel formé pour dispenser le savoir ; beaucoup de pays en développement, pour des raisons variées, en particulier par manque de moyens financiers, n'investissent pas assez dans ce domaine. Les populations aisées des pays pauvres peuvent envoyer leurs enfants dans des écoles privées ou à l'étranger, ce qui n'est pas le cas du reste de la population. L'accès à l'éducation est donc un marqueur des inégalités. Parmi les pays riches, l'exemple de la France montre l'importance de l'éducation, et particulièrement de l'éducation des filles, dans l'évolution de la société française à partir du XIXe siècle.

• Quelle est la situation de la scolarisation des jeunes dans le monde ?

• Quels sont les effets de la très faible scolarisation des filles dans les pays pauvres ?

UNE SCOLARISATION INSUFFISANTE DANS LES PAYS DU SUD

La Déclaration universelle des droits de l'homme affirme que « toute personne a droit à l'éducation ». La Convention de l'Unesco contre la discrimination dans le domaine de l'enseignement rappelle l'importance de promouvoir l'égalité des chances et de traitement entre les garçons et les filles *(voir ci-contre, Le taux d'alphabétisation dans le monde en 2004)*. Parmi les 100 millions d'enfants privés d'accès à l'enseignement primaire, la majorité sont des filles. La plupart d'entre elles vivent en Afrique subsaharienne, en Asie du Sud-Est et dans les États arabes. En Afrique rurale, environ 70 % des filles ne terminent pas le cycle primaire. Les femmes représentent 64 % des adultes dans le monde qui ne peuvent ni lire ni écrire. Pour 100 hommes adultes qui savent lire et écrire, on compte seulement 88 femmes. Une telle situation est un indicateur de pauvreté, la marque d'une situation encore loin du développement durable.

Au Pakistan, au début des années 1990, 86 % des enfants de milieu aisé de 6 à 14 ans étaient scolarisés, contre 37 % des enfants pauvres. Cet écart était de 52 % au Sénégal et 63 % au Maroc. Il était un peu plus faible, mais néanmoins important, dans des pays comme le Bangladesh, le Ghana et l'Indonésie. La situation a peu évolué depuis cette date.

Les réunions internationales se multiplient sans que la situation change. La Conférence sur l'éducation qui s'est déroulée à Jomtien (Thaïlande) en 1999 (Unesco, Unicef) a rappelé que :
– 100 millions d'enfants, dont au moins 60 millions de filles, n'ont pas accès à l'éducation primaire ;
– plus de 960 millions d'adultes, dont un tiers de femmes, sont analphabètes ;
– plus d'un tiers de l'humanité n'a pas accès au savoir imprimé, aux nouveaux savoir-faire et aux technologies de l'information ;
– plus de 100 millions d'enfants n'achèvent pas le cycle éducatif de base.
Les objectifs de la Conférence mondiale sur l'Éducation pour tous de Jomtien insistaient sur le fait que tous les enfants, tous les adolescents et tous les adultes devraient avoir accès à l'éducation fondamentale. Les pauvres, les enfants de la rue et les enfants qui travaillent ne doivent subir aucune discrimination dans l'accès aux formations. Ces objectifs ont été réaffirmés lors du Forum mondial sur l'éducation qui s'est tenu à Dakar en 2000. Ils sont repris dans le *Rapport mondial de suivi sur l'Éducation pour tous* (EPT), publié en 2009, qui fait le constat que les objectifs

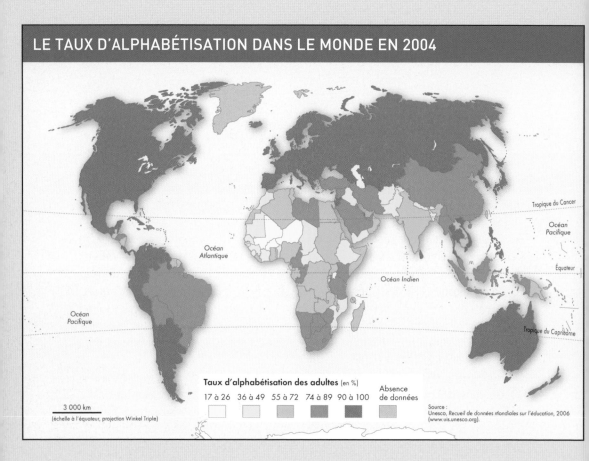

LE TAUX D'ALPHABÉTISATION DANS LE MONDE EN 2004

Tropique du Cancer

Océan
Pacifique

Océan
Atlantique

Océan Indien

Équateur

Océan
Pacifique

Tropique du Capricorne

Taux d'alphabétisation des adultes (en %)

17 à 26   36 à 49   55 à 72   74 à 89   90 à 100   Absence
de données

3 000 km

(échelle à l'équateur, projection Winkel Triple)

Source :
Unesco, Recueil de données mondiales sur l'éducation, 2006
(www.uis.unesco.org).

Le développement durable implique l'éducation de tous et de toutes. Le taux d'alphabétisation est un indicateur du niveau d'éducation des populations. Il s'agit du pourcentage d'adultes qui savent déchiffrer un court texte et écrire quelques lignes. Ce taux est faible dans une grande partie de l'Afrique, du Moyen-Orient, en Inde, en Afghanistan, au Pakistan. Les pays émergents (Chine, Brésil, Afrique du Sud) ont réalisé des efforts en matière d'alphabétisation. Ces taux par pays dissimulent des disparités ; la proportion des personnes qui, en France, ne savent pas lire n'est pas négligeable.

SCOLARISATION : L'INÉGALITÉ GARÇONS-FILLES EN AFRIQUE

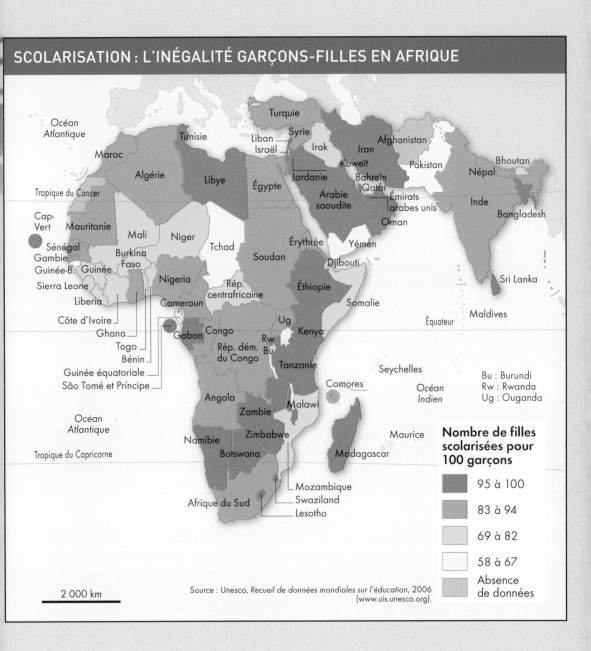

Océan Atlantique

Maroc

Tunisie

Turquie

Liban
Israël

Syrie

Irak

Afghanistan

Algérie

Libye

Égypte

Jordanie

Iran

Koweït

Pakistan

Bahreïn
Qatar

Bhoutan

Népal

Tropique du Cancer

Cap-Vert

Mauritanie

Mali

Niger

Tchad

Arabie
saoudite

Émirats
arabes unis

Inde

Bangladesh

Sénégal
Gambie
Guinée-B.
Guinée

Burkina
Faso

Érythrée

Yémen

Oman

Sierra Leone

Liberia

Côte d'Ivoire

Ghana

Togo

Bénin

Guinée équatoriale

São Tomé et Príncipe

Nigeria

Rép.
centrafricaine

Soudan

Djibouti

Éthiopie

Somalie

Sri Lanka

Maldives

Cameroun

Gabon

Congo

Rép. dém.
du Congo

Ug

Rw
Bu

Kenya

Tanzanie

Équateur

Comores

Seychelles

Océan
Indien

Bu : Burundi
Rw : Rwanda
Ug : Ouganda

Angola

Zambie

Malawi

Maurice

Océan
Atlantique

Namibie

Botswana

Zimbabwe

Madagascar

Tropique du Capricorne

Afrique du Sud

Mozambique
Swaziland
Lesotho

Nombre de filles scolarisées pour 100 garçons

- 95 à 100
- 83 à 94
- 69 à 82
- 58 à 67
- Absence de données

2 000 km

Source : Unesco, *Recueil de données mondiales sur l'éducation*, 2006 (www.uis.unesco.org).

d'un enseignement primaire universel ne pourront être réalisés à l'échéance 2015 compte tenu de la situation actuelle et du fait que la période 2000-2015 est plus qu'à moitié écoulée sans amélioration considérable de la situation.

La scolarisation, notamment celle des filles, est loin d'être universelle et beaucoup d'enfants quittent l'école avant d'avoir achevé le cursus primaire. En outre, les enfants scolarisés ne suivent les études souvent qu'une partie de l'année ; pour le reste, ils participent aux travaux agricoles ou autres. Enfin, beaucoup d'enfants ne bénéficient pas d'un enseignement adéquat parce que les enseignants sont mal formés et mal payés. Les classes sont surchargées et les écoles ne disposent pas du matériel pédagogique élémentaire : manuels, tableaux, papier et stylos *(voir p. 79, Scolarisation : l'inégalité garçons-filles en Afrique).*

Les raisons de telles situations tiennent d'abord à l'État qui n'a pas la volonté politique ni les ressources financières pour répondre aux besoins d'éducation de la population. Les parents pauvres de certains pays à faible revenu s'organisent et paient pour l'éducation de leurs enfants. Les frais de scolarité représentent un lourd fardeau pour certains parents. Une étude récente de la Banque mondiale montre que le financement au moins partiel de l'éducation de base par les parents est une pratique largement répandue. Ces contributions prennent différentes formes. Les frais de scolarité peuvent couvrir les salaires des enseignants et des administrateurs, le coût du matériel pédagogique, crayons et livres de classe, ainsi que l'entretien des écoles. Les parents apportent parfois des contributions en nature : nourriture des enseignants, assistance dans les classes, ou construction et entretien des écoles.

- - - - - - - -

L'EXEMPLE DU TCHAD

Le Tchad dispose d'un produit national brut par habitant estimé à seulement 215 dollars, sa capacité à mobiliser des recettes publiques est faible. Ce pays souffre d'un très bas niveau de scolarisation (environ 50 %), d'un faible taux d'achèvement des études primaires (20 %) et d'un fort taux d'analphabétisme (plus de 60 %). Ces résultats très médiocres sont encore aggravés par l'ampleur des disparités selon les régions et les sexes. La situation est alors pire pour les enfants des campagnes et pour les filles. Cependant, de tradition au Tchad, les parents sont impliqués dans le financement et la gestion de l'enseignement élémentaire. Des écoles gérées par les collectivités existaient pendant la période coloniale. Après l'indépendance en 1960, les associations de parents ont pris en charge nombre d'écoles rurales existantes, en ont construit de nouvelles qu'ils font fonctionner. Les parents contribuent également au financement des écoles publiques, en moyenne à hauteur de 2 dollars par an ; par ailleurs, ils paient livres et fournitures et offrent du temps à titre bénévole. La fréquentation des écoles n'est pas obligatoire, mais des mécanismes informels d'assurance mutuelle empêchent l'exclusion des enfants dont les parents ne peuvent pas payer la modeste contribution demandée.

Les associations parents-enseignants engagent et supervisent plus de la moitié des enseignants des écoles primaires du Tchad. Ceux-ci enseignent en général dans leur propre village après avoir reçu un minimum de formation. L'État, avec l'aide de la Banque mondiale, paie 80 % de leur salaire (qui ne représente qu'un tiers de ce que reçoivent les enseignants fonctionnaires de l'État) et la collectivité couvre le reste.

Le cas du Tchad montre la valeur que des parents, même très pauvres, attachent à l'éducation de leurs enfants. Pourtant, malgré leurs sacrifices et leur coopération, la situation scolaire du Tchad reste difficile : moins de la moitié des adultes ayant été à l'école pendant six ans au plus parvient à lire couramment. Le gouvernement a promis d'accroître ses dépenses d'éducation grâce à des ressources fournies par la Banque mondiale et le FMI et grâce aux recettes pétrolières.

Le travail des enfants reste probablement le principal obstacle à l'accès à l'éducation pour tous. L'Organisation internationale du travail (OIT) estime à près de 250 millions le nombre d'enfants entre 5 et 17 ans travaillant comme main-d'œuvre bon marché. Il s'agit, pour la plupart, d'enfants issus de familles rurales défavorisées qui doivent mettre chaque membre de la famille à contribution pour survivre. Deux millions d'enfants sont concernés par la prostitution. La Convention des Nations unies relative aux droits de l'enfant exige des gouvernements qu'ils protègent leurs mineurs de moins de 18 ans du travail forcé, de l'exposition au travail dangereux et de toute forme de travail pouvant interférer avec leur éducation, mais le bilan est loin d'être probant.

LA DISCRIMINATION GARÇONS-FILLES EN MATIÈRE D'ÉDUCATION

L'égalité entre les hommes et les femmes et l'importance de l'enseignement des filles est une question essentielle du cadre d'action émanant du Forum mondial sur l'éducation de Dakar (2000, objectifs n° 2 et n° 5). L'objectif n° 2 précise que, d'ici à 2015, tous les enfants, en particulier les filles, devraient accéder à un enseignement primaire libre et obligatoire et en achever le cycle. L'objectif n° 5 prévoit l'élimination des disparités de traitement entre les sexes dans l'enseignement primaire et secondaire en 2005 et l'égalité des sexes d'ici à 2015.

Selon le *Rapport mondial de suivi sur l'Éducation pour tous* de 2006, l'alphabétisation est un enjeu vital. Quarante-neuf pays ont atteint la parité des sexes dans les inscriptions à l'école primaire et secondaire en 2002. Mais 49 pays pour lesquels on dispose de données n'ont pas réussi à atteindre la parité des sexes en 2005, surtout en Asie du Sud-Est et en Afrique subsaharienne.

Pourquoi envoyer les filles à l'école ? Les 189 chefs d'État qui ont signé la Déclaration du millénaire en 2000 ont reconnu que l'éducation des filles était une condition nécessaire pour réduire la pauvreté et respecter les droits de l'homme. L'éducation aide les filles et les femmes à revendiquer d'autres droits, à acquérir un statut social, à atteindre l'indépendance financière ou à améliorer leur représentation en politique. Les mères éduquées sont plus susceptibles d'envoyer leurs filles à l'école, de se préoccuper de la santé de leur famille et d'avoir moins d'enfants. Elles sont aussi moins vulnérables à l'exploitation et moins exposées aux risques (par exemple VIH/sida).

- - - - - - - -

L'ÉDUCATION DES FILLES

Pour que les filles et les femmes accèdent plus facilement à l'enseignement, il faudrait :
– changer l'attitude de la société quant à l'éducation des filles ;
– attirer l'attention du public sur les droits des filles et des femmes, et prendre ces droits en compte dans les législations nationales ;
– améliorer le statut des femmes dans la société en général, en augmentant le nombre de femmes aux postes à responsabilité ;
– éduquer les femmes pour qu'à long terme elles soutiennent à leur tour l'enseignement des filles ;
– développer l'éducation dès la petite enfance ;
– encourager les écoles qui soutiennent l'éducation des filles.
Rapport mondial pour l'éducation des filles 2003-2004.

- - - - - - - -

La pauvreté constitue l'un des obstacles à l'inscription et au maintien des filles et des femmes dans le système éducatif, en raison du coût des frais d'inscription, de celui des uniformes, sans oublier la question des toilettes et des trajets à effectuer journellement. Même si l'enfant est inscrit, l'absentéisme reste considérable. En fait, beaucoup de filles travaillent, souvent cachées derrière les murs des usines, dans les champs ou dans leurs propres maisons. Un récent rapport de l'OIT montre qu'en 2004 de très nombreuses filles étaient engagées dans des activités dangereuses. Plus de 100 millions de filles impliquées dans le travail des enfants exécutent des tâches similaires à celles des garçons, mais sont exposées à des difficultés et des risques plus importants.

Les programmes de réduction de la pauvreté sont essentiels pour assurer un enseignement équitable et de qualité. L'introduction d'activités rémunératrices a eu des effets positifs. L'Unesco soutient deux actions conjointes dans des zones rurales au Niger et au Burkina Faso dans le but d'émanciper les femmes, à travers des programmes d'alphabétisation durable et le développement d'activités qui génèrent des revenus. L'expérience montre que les femmes qui savent lire et écrire gèrent mieux leurs activités de microcrédit, sont plus aptes à participer à la prise de décision et comprennent mieux les problèmes de santé.

En 2002, un réseau régional, appelé le «Réseau de l'ONU pour l'égalité entre les sexes dans l'éducation en Asie» (GENIA), a été mis en place par le bureau de l'Unesco à Bangkok, à la demande des États membres. Les protagonistes veulent développer des politiques d'enseignement prenant en compte les questions liées à l'égalité des sexes et souhaitent bousculer les stéréotypes sociaux. Quinze pays sont membres de ce réseau et neuf bénéficient d'un soutien spécifique de l'Unesco.

Les enfants handicapés, au même titre que les filles, sont particulièrement défavorisés. On estime que 5 % seulement des enfants africains ayant des difficultés à apprendre sont scolarisés, alors que 70 % d'entre eux pourraient l'être si les écoles disposaient des équipements voulus d'ici à 2015.

L'ÉDUCATION DES FILLES EN FRANCE, UNE CONQUÊTE DIFFICILE

En 1801, Sylvain Maréchal rédige une brochure, *Projet d'une loi portant défense aux femmes d'apprendre à lire*; la Révolution a déjà eu lieu. Pour Napoléon, l'éducation des filles n'est pas une affaire d'État, elle est laissée à la famille ou encore à l'Église. Dès le XVIe siècle, celle-ci s'est préoccupée d'instruire les filles. Les objectifs des congrégations sont simples et pratiques : il s'agit de guider les filles pour éviter les conséquences de l'oisiveté sur leur esprit ; il faut former des épouses et des mères chrétiennes, dociles, vertueuses, aptes aux travaux d'aiguilles. Ce projet éducatif n'a cependant que peu de succès. Il est vrai que les familles de paysans ou d'artisans ont besoin des filles comme des garçons pour effectuer diverses tâches domestiques et autres. Cette situation demeurera, y compris après l'instauration de l'école obligatoire par Jules Ferry ; dans les campagnes, encore au milieu du XXe siècle, les enfants manquaient l'école au moment des foins, des moissons ou des vendanges.

Jusqu'au XIXᵉ siècle, l'école des filles envisagée ne saurait être mixte. La loi Guizot de 1833 crée l'enseignement primaire en France pour les garçons. Ce n'est qu'en 1836, puis avec les lois Falloux (1850) et Duruy (1867), que des écoles de filles voient le jour. Près de la moitié de la population féminine est alors illettrée (41 % ne savent pas signer leur nom contre 25 % des hommes). Malgré la loi Duruy qui crée les premiers cours secondaires pour les jeunes filles, le baccalauréat et l'entrée à l'université leur restent fermés. Quand, en 1861, Julie Daubié, après avoir essuyé plusieurs refus à Paris, passe et obtient le baccalauréat à Lyon, le ministre de l'Instruction refuse de lui remettre son diplôme ! Madeleine Brès, première femme médecin française en 1875, a obtenu une dérogation en 1866 pour passer son bac, seulement grâce à une intervention de l'impératrice Eugénie elle-même. Pourquoi les femmes étaient-elles ainsi traitées ?

Les garçons devaient être préparés à la vie active, à avoir un métier impliquant dans bien des cas de savoir lire et compter, tandis que les filles, futures femmes au foyer, n'avaient pas à connaître ces bases, leur mission était d'élever leurs enfants, de demeurer au foyer, d'apprendre ce qui est nécessaire pour « tenir » une maison, la couture notamment, puis la puériculture. Ainsi, l'école, à ses débuts, prépare les filles à être en position d'infériorité.

Dès la fin du XVIIIᵉ siècle, des voix plus ouvertes aux progrès réclament une véritable instruction pour les filles ; c'est le cas de Condorcet, de Fourier, relayés ensuite par des saint-simoniens, par Flora Tristan, André Léo et Élisa Lemonnier. Les demandes portent sur l'égalité entre garçons et filles, des programmes identiques et le développement d'un enseignement professionnel pour les filles qui devrait contribuer à une meilleure qualification et des salaires plus importants au moment où se développe l'industrie et où la demande en main-d'œuvre, y compris féminine, s'affirme. La IIIᵉ République veut former des citoyens, elle crée pour cela un corps d'instituteurs qui va jouer un rôle décisif dans l'éducation des garçons. Les petites filles ne sont pas totalement oubliées : les lois Ferry leur ouvrent l'école laïque, obligatoire et gratuite (1882). Cependant, les collèges créés pour les jeunes filles par la loi Sée (1880) proposent un enseignement tronqué auquel manquent les matières indispensables permettant de passer les mêmes examens que les garçons (latin, grec, philosophie). Les filles ne peuvent avoir accès ni au baccalauréat ni à l'entrée à l'université. On veut toujours former des mères au foyer, des ouvrières un peu plus averties que par le passé, mais certainement pas des femmes qui se mesureraient avec les hommes.

En 1882, une agrégation féminine est cependant créée, après la fondation, l'année précédente, de l'École normale supérieure de Sèvres, preuve que les femmes commencent à pouvoir accéder à l'enseignement supérieur, mais en très petit nombre ; elles ne se mesurent pas aux hommes, ceux-ci ont leur agrégation propre. Ainsi, l'agrégation de géographie créée dans les années 1940 n'était ouverte qu'aux hommes jusqu'en 1969, date où elle est devenue mixte. Existait jusque-là une agrégation «féminine» d'histoire-géographie dont le programme était spécifique et qui comprenait notamment des épreuves d'histoire de l'art. Dès 1884, Clémence Royer, femme de sciences, donne des cours à la Sorbonne, tandis que Marie Curie reçoit en 1903 et 1911 les prix Nobel de physique puis de chimie. La première École normale supérieure mixte est fondée à Cachan en 1912. Elle concerne l'enseignement technique. Ce n'est qu'en 1919 qu'est instauré le baccalauréat féminin, qui ne sera équivalent au baccalauréat masculin qu'en 1924 au moment où les programmes seront unifiés. Il faut attendre 1938 pour qu'une femme mariée puisse se passer de l'autorisation de son époux pour s'inscrire à l'université. Les progrès de la scolarisation des filles sont indéniables, même si, en 1947, sur 76 000 analphabètes recensés, encore 42 000 sont des femmes. La première fille entre à l'École polytechnique en 1972. La loi sur l'éducation de 1975 instaure par ses décrets d'application l'obligation de mixité de l'enseignement dans tous les établissements publics.

L'éducation des filles a contribué à diffuser dans la société les progrès et les enseignements de l'époque des Lumières et de la science des XIXe et XXe siècles sur l'hygiène, les soins aux enfants, l'alimentation, puis le planning familial. Les droits auxquels les femmes pouvaient prétendre les ont aidées à prendre leur envol. Mais ce long parcours qui a accompagné l'augmentation de l'espérance de vie, une meilleure qualité de vie a parfois rencontré et rencontre encore l'opposition des hommes, des obscurantismes, religieux ou autres, peu désireux de voir leur position dominante remise en question.

L'absence d'accès à l'éducation est, dans la plupart des cas, synonyme de pauvreté et de sous-développement. L'éducation est donc une des composantes de base du développement durable puisqu'elle doit favoriser un accès à l'hygiène, à la santé, à une meilleure connaissance du milieu et de sa gestion...

05

IDÉES REÇUES, PIÈGES À ÉVITER

→ L'insécurité liée aux risques est plus importante aujourd'hui que par le passé.

→ Tout est perçu comme risque. Il faut atteindre le risque zéro.

→ On ne peut que subir le risque.

→ L'État doit supprimer le risque.

RISQUES ET CATASTROPHES SONT-ILS DES MENACES POUR LE DÉVELOPPEMENT DURABLE ?

Les sociétés sont soumises à des risques d'origines variées. Les aléas responsables des risques et des crises associées peuvent être d'origine naturelle (séismes, inondations, glissements de terrain, cyclones...) ou liés aux activités humaines (risques industriels, pollution...). Dans le passé, les sociétés agricoles acceptaient comme une fatalité les « calamités agricoles » (saison trop chaude ou trop froide, gelées tardives, pluies trop abondantes, sécheresse marquée) qui provoquaient pénuries alimentaires ou épidémies... Ces conceptions fatalistes existent toujours dans la plupart des pays en développement, où la catastrophe est souvent perçue comme une punition divine. Dans les pays riches, le refus du risque est général, alors même que nos sociétés sont désormais perçues comme des sociétés du risque. Les risques peuvent être un frein au développement durable par le coût des catastrophes associées.

• Quels types de risques menacent les sociétés ?
• Y a-t-il aujourd'hui plus d'aléas et de risques que par le passé en raison du changement climatique ?
• Toutes les sociétés et tous les individus sont-ils égaux face aux risques ?
• La gestion des risques et des catastrophes peut-elle contribuer au développement durable ?

QU'ENTEND-ON EXACTEMENT PAR RISQUE ?

Le terme « risque » signifie danger auquel l'homme et les sociétés sont soumis ; l'aléa se définit comme le processus d'origine physique, technique ou sanitaire à l'origine de la crise ou de la catastrophe. L'aléa, par définition, a un caractère aléatoire, autrement dit difficilement prévisible. On distingue l'aléa, source de risque pour les populations, et la crise ou la catastrophe, qui résulte du déclenchement de l'aléa.

Le risque associe l'aléa et la vulnérabilité. En effet, si une société est bien préparée à faire face à un aléa, autrement dit si elle est peu vulnérable, l'aléa aura de faibles effets sur la population concernée et sur les aménagements associés. Au contraire, si la société est mal préparée à la crise, si elle ne connaît qu'insuffisamment le danger, les effets de la crise seront très importants.

L'IMPORTANCE DE LA VULNÉRABILITÉ

Séisme de Spitak, Arménie, 1988

Magnitude 6,9. Entre 25 000-30 000 morts et 100 000 morts. De 15 000 à 20 000 blessés. 530 000 sans-abri.

L'Arménie a perdu environ 8 millions de mètres carrés de logements. Près de la moitié des écoles, 110 hôpitaux et dispensaires, 119 musées ou monuments historiques ont été détruits ou très endommagés. À Leninakan, deuxième centre industriel, 17 des 20 grandes industries ont été entièrement détruites. De grandes pertes ont affecté les constructions agricoles, 80 000 têtes de bétail et plus de 90 000 ha des systèmes d'irrigation. L'approvisionnement en eau potable a été interrompu à Spitak et réduit pour d'autres villes. Les lignes de communication et les équipements énergétiques ont été endommagés dans la région.

Séisme de Loma Prieta, San Francisco, 1989

Magnitude 7,1. 62 morts. 12 000 sans-abri. 18 000 bâtiments endommagés.

Peu de structures se sont effondrées en raison des codes de construction qui avaient été pour la plupart bien suivis.

Quatre hôpitaux ont été gravement endommagés : l'un d'entre eux était un bâtiment construit avant 1933, non réhabilité pour faire face au risque sismique ; un autre, récent, a vu trois cages d'escalier s'effondrer ; le troisième a perdu sa station d'énergie électrique ; un dernier s'est effondré.

Aujourd'hui, en matière de risque, l'accent est mis sur la vulnérabilité. En termes économiques, les plus pauvres sont les plus fragiles, les moins aptes à faire face. En termes politiques, la vulnérabilité est accrue, les différents responsables ne disposent pas des moyens nécessaires pour gérer la crise. La vulnérabilité peut avoir une dimension technique : les constructions mal faites sont sensibles aux effets des séismes ou des inondations... La densité de population constitue un autre aspect de la vulnérabilité, la forte concentration de population en un même lieu expose un plus grand nombre de personnes à une explosion, à une inondation, à la prolifération des agents pathogènes et au développement d'une épidémie. Ainsi, les villes, notamment les très grandes, sont des espaces vulnérables ; la densité des équipements (voies de circulation, implantations industrielles, stockages de produits dangereux) est aussi une source potentielle de dangers.

QUELS ALÉAS MENACENT LES POPULATIONS ?

Les aléas naturels liés à la dynamique de la planète sont soit d'origine géologique, soit d'origine météorologique : séismes et tsunamis, épisodes volcaniques, mouvements de terrain (glissements, éboulements), vagues de froid, épisodes de canicule, très grosses pluies, chutes de neige très abondantes, tempêtes, cyclones ou ouragans, grêle, sécheresse. La répartition des aléas est liée au fonctionnement de la planète : le mouvement des plaques tectoniques explique les localisations de secteurs sismiques et volcaniques. Les ouragans se produisent dans les espaces tropicaux des façades est des continents ; les tempêtes sont fréquentes sur la façade occidentale de l'Europe, et les abats d'eau violents caractérisent l'espace méditerranéen.
Croiser les lieux où se produisent préférentiellement ces processus et les lieux de forte densité de population met en évidence les espaces à risques : l'Asie du Sud-Est (Japon, Chine...), l'espace méditerranéen, les pays andins et le Mexique, la Californie (voir ci-contre, Les aléas naturels dans le monde)...

Des risques industriels, tels que les explosions, les incendies, les fuites de produits toxiques dans l'air, l'eau ou les sols, s'ajoutent aux aléas naturels. De nombreux exemples de catastrophes industrielles en témoignent : AZF (2001), Seveso (1976), Feyzin (1966)... Les risques liés aux installations nucléaires résultent de fuites de produits radioactifs (Tchernobyl en 1986) ou des déchets nucléaires.

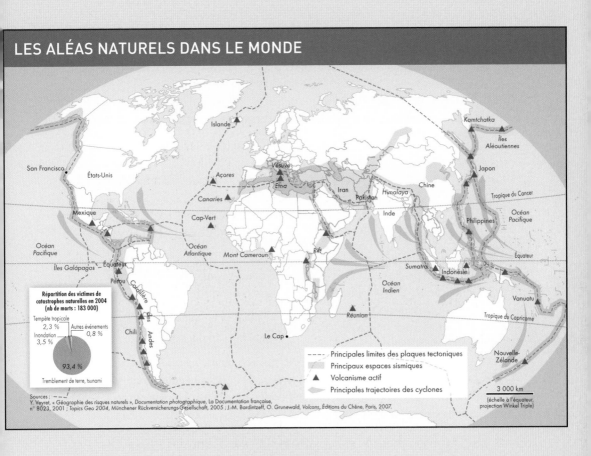

LES ALÉAS NATURELS DANS LE MONDE

Répartition des victimes de catastrophes naturelles en 2004 (nb de morts : 183 000)

Tempête tropicale 2,3 %
Autres événements 0,8 %
Inondation 3,5 %
93,4 % Tremblement de terre, tsunami

- - - - - Principales limites des plaques tectoniques
Principaux espaces sismiques
▲ Volcanisme actif
Principales trajectoires des cyclones

3 000 km
(échelle à l'équateur, projection Winkel Triple)

Sources :
Y. Veyret, « Géographie des risques naturels », *Documentation photographique*, La Documentation française, n° 8023, 2001 ; Topics Geo 2004, Münchener Rückversicherungs-Gesellschaft, 2005 ; J.-M. Bardintzeff, O. Grunewald, *Volcans*, Éditions du Chêne, Paris, 2007.

Les aléas naturels, source de risques et de catastrophes, ne se localisent pas n'importe où sur la planète. Les espaces soumis aux séismes se situent autour du Pacifique, en relation avec les mouvements des plaques tectoniques, et sur une bande allant du Portugal et du Maroc à la Chine. Les séismes sous-marins peuvent générer des tsunamis. L'aléa volcanique occupe assez largement les mêmes espaces. Les cyclones tropicaux affectent l'est des continents aux latitudes tropicales. Les inondations sont présentes sur à peu près tous les fleuves du monde. Les fortes densités de population, les mégapoles sont essentiellement littorales, et beaucoup de grandes villes sont situées en bordure des grands fleuves, c'est dire si la vulnérabilité des populations est considérable et croissante.

Les risques concernent aussi la santé : pandémies, risques liés aux pollutions de l'air, de l'eau… l'histoire fournit maints exemples d'épidémies de peste, de choléra ; la malnutrition ou l'insuffisance de nourriture constituent d'autres sources de risques.

Les conflits constituent aussi des risques et des crises aux conséquences souvent dramatiques.

LES RISQUES SONT À L'ORIGINE DU DÉVELOPPEMENT DURABLE

Les premiers mouvements écologiques sont nés du constat des risques, des inquiétudes (déforestation, pollutions…) pour la planète, dès la fin du XIXe siècle aux États-Unis. Ces mouvements ont alors promu des solutions de protection (politique des parcs américains). C'est aussi de l'analyse de l'économiste Malthus que datent les premières inquiétudes pour les ressources de la planète, dès la fin du XVIIIe siècle. Ce courant économiste a depuis lors dénoncé les usages des ressources, leur dégradation, notamment en 1968 comme en témoignent les travaux du Club de Rome et du groupe Meadows (rapport Meadows, 1972) qui prônent la croissance zéro. Ces analyses ont contribué à l'émergence de la notion de développement durable que l'on peut définir comme une réponse aux inquiétudes touchant aux ressources (notamment à la biodiversité), une solution pour dépasser la « crise » environnementale.

À la volonté de protéger la faune et la flore (biodiversité) s'est ajoutée plus récemment la nécessité de réduire les effets des gaz à effet de serre, de maîtriser le changement climatique, qui a pris une place considérable dans les discours des médias et dans les thèmes de recherche des équipes scientifiques.

LE RISQUE EST-IL UNE MENACE POUR LE DÉVELOPPEMENT DURABLE ?

La mise en œuvre d'une politique de développement durable exige une économie saine, l'équité sociospatiale, une gestion conservatoire des ressources. Or les aléas et les risques associés menacent les populations, soit ponctuellement, soit globalement. Un mouvement de terrain affecte généralement une partie d'un versant de vallée, un séisme peut toucher une ville ou une région, alors qu'une épidémie s'étend sur de très vastes régions, voire sur la planète entière.

Les crises ont, selon leur nature et leur ampleur, un « poids inégal » en termes de victimes, d'impacts économiques, écologiques et sociaux, ce qui a permis à André Dauphiné (2003) d'établir une hiérarchie entre «les accidents, les désastres, les catastrophes, les catastrophes majeures et les super-catastrophes». Le déroulement des crises peut freiner la marche vers le développement durable par l'impact sur les populations, la désorganisation sociale qui en résulte, les coûts financiers. Ces coûts obligent parfois les États à mobiliser des fonds pour la reconstruction au lieu de les employer à des fins de développement économique et social et d'aménagement urbain. Les crises contribuent bien souvent à aggraver les inégalités sociales, car elles affectent particulièrement les populations les plus pauvres, notamment dans les pays en développement. Ainsi, à Alger, des populations dépourvues de droit de propriété se sont installées dans les lits d'oueds qui ont été balayés par des crues dévastatrices. Le séisme qui a affecté la ville de Bam en Iran, en 2003, a tué plus de 40 000 personnes parce que les maisons en briques crues n'étaient pas conçues pour résister à d'importantes secousses.

Entre 1990 et 2000, les catastrophes naturelles ont absorbé environ 5 % du PIB du Bangladesh, 12 % de celui de la Jamaïque et plus de 15 % de celui du Nicaragua. La catastrophe qui a affecté La Nouvelle-Orléans en 2005 (l'ouragan Katrina) fournit un exemple tout aussi éclairant et qui concerne pourtant une ville de l'un des pays les plus riches du monde. Néanmoins, le manque d'investissements pour entretenir des digues explique en partie la situation, à quoi s'ajoute le fait que la ville, pour des raisons politiques, a été largement délaissée par l'administration.

L'impact des catastrophes en termes économiques se traduit par des coûts directs, des dommages matériels, affectant les moyens de production, les stocks, les réseaux de transport, les infrastructures sociales (écoles, hôpitaux), le logement. Les coûts indirects (interruption de la circulation des biens et des services, coût des soins médicaux induits, perte de l'image attractive d'un espace...) sont souvent considérables.

LES DIFFICULTÉS D'ASSOCIER GESTION DES RISQUES ET DÉVELOPPEMENT DURABLE

Intégrer la gestion du risque dans les politiques d'aménagement et de développement durable demeure plus un objectif qu'une réalité en France. Certes, les plans de prévention des risques qui datent de 1995 (loi Barnier) et sont obligatoires pour les communes à risques sont inclus dans les plans locaux d'urbanisme (PLU). Mais la gestion du risque passe souvent après les choix de gestion à finalité économique.

Depuis 2005, en Angleterre, le développement durable est le fil conducteur de toutes les politiques d'aménagement, selon l'étude de Stéphanie Beucher en 2008 sur Londres. La question des inondations y est abordée dans la plupart des documents d'aménagement, notamment au travers du réchauffement climatique. En revanche, le risque est peu pris en compte par les acteurs locaux, qui considèrent la croissance économique comme le but du projet urbain. Une forte opposition apparaît entre l'approche globale, venue du haut (des organisations onusiennes, des grandes ONG ou des États), qui met en avant des conceptions générales considérées comme applicables partout (dans ce cas, la nécessaire maîtrise des risques) et les aspects locaux plus pratiques demandant des réponses spécifiques (souvent urbanisation, implantation d'infrastructures y compris en secteurs à risques). Le risque demeure donc secondaire dans les choix effectués, comme en témoigne l'exemple de l'estuaire de la Tamise (Thames Gateway). La présence d'un grand nombre de digues et de la « barrière » sur la Tamise *(Thames barrier)* donne l'illusion de la sécurité. Néanmoins, celle-ci sera-t-elle garantie en cas de réchauffement climatique marqué dans un secteur où tous les terrains bâtis sont situés 5 mètres au-dessous du niveau des hautes marées ? La conscience du risque apparaît ambiguë. D'un côté, des discours minimisent le risque (inondation lente, digues...) ; de l'autre, les autorités savent qu'elles ne sont pas prêtes à affronter une inondation majeure dans le Thames Gateway.

La gestion durable des territoires doit donc intégrer tous ces facteurs et évaluer les effets induits d'une crise, mais une telle évaluation se révèle particulièrement difficile (comment estimer les impacts d'une crise ou d'une catastrophe sur le bâti, les infrastructures de transport, les PME, les activités diverses ?), d'autant que de nombreux territoires fonctionnent désormais en réseau dans le cadre de la mondialisation. Des travaux récents du ministère français de l'Intérieur montrent qu'une grande inondation à Paris aurait des effets désastreux pour la population parisienne. Sur le plan économique, cela se traduirait par des pertes pour les entreprises directement affectées dans l'agglomération et par des effets différés à l'échelle de la France, voire de l'Europe en raison de la sous-traitance. De même, des chercheurs japonais ont étudié les conséquences qu'aurait un séisme de même intensité que celui de 1923 à Tokyo : un nombre considérable de victimes et la nécessité, pour reconstruire la mégapole, de rapatrier les capitaux japonais épars dans le monde. Les effets sur l'économie mondiale en sont difficilement calculables et provoqueraient peut-être l'effondrement de celle-ci.

La prévention des risques a pris une réelle ampleur dans certaines villes des pays riches, parallèlement à la mise en œuvre de politiques de protection conduites depuis longtemps (digues, barrages pour prévenir les inondations) et qui, dans bien des cas, ont montré leurs limites. Des zonages de l'espace urbain sont proposés. Imposés par l'État en France, ou plus ancrés dans le local en Angleterre, ils sont destinés à soustraire à l'urbanisation les espaces à risques. Même si les résultats ne sont pas toujours suffisants et si les choix effectués au nom de la prévention des risques et/ou du développement durable font passer d'abord la dimension économique, les pays riches se distinguent fortement des pays en développement.

La capacité d'adaptation ou de résilience définie comme l'aptitude d'un système à réagir aux catastrophes naturelles, industrielles ou autres dans le but de retrouver une situation acceptable assez proche de celle de départ constitue-t-elle un indicateur pour une gestion durable ? Les facteurs favorisant la résilience relèvent de la bonne santé économique du pays, de la région ou de la ville concernés, d'une technologie suffisante, d'infrastructures et d'institutions efficaces... Le port de Kobé a été reconstruit très rapidement après le séisme de 1995 pour maintenir les activités de commerce, mais cela a été possible parce que le Japon a pu y consacrer des finances suffisantes. Qu'en serait-il dans la mégapole d'un pays pauvre où certaines catastrophes naturelles engloutissent une part importante du produit national brut (PNB) ? Après la catastrophe, les modes de reconstruction envisagés doivent intégrer pleinement les politiques de durabilité.

LE RISQUE CYCLONIQUE EN HAÏTI : FREIN AU DÉVELOPPEMENT DURABLE ?

Situé entre la mer des Caraïbes et l'océan Atlantique, Haïti occupe un tiers de l'île de Saint-Domingue, soit une superficie de 27 750 km². Sa situation géographique l'expose à toute une série d'aléas naturels qui, combinés à la déforestation et aux difficiles conditions socioéconomiques, constituent des risques récurrents. Cyclones, inondations, glissements de terrain, sécheresses frappent régulièrement l'île, auxquels s'ajoutent des séismes comme celui du 12 janvier 2010 qui vient de dévaster la capitale Port-au-Prince. Ils sont à l'origine de pertes humaines et matérielles considérables. Quelles sont les manifestations du risque cyclonique en Haïti ? Pourquoi la pauvreté aggrave-t-elle le risque et constitue-t-elle un frein au développement durable ?

HAÏTI : RETOUR SUR LES ÉTÉS 2004 ET 2008

Pendant la saison cyclonique dans l'hémisphère Nord, entre mai et novembre, l'arc des Antilles voit chaque année le passage, en moyenne, d'une dizaine de tempêtes et cyclones tropicaux.

On désigne par cyclone, dans la terminologie internationale, une « perturbation atmosphérique tourbillonnaire de grande échelle due à une chute importante de la pression atmosphérique ». Dans l'Atlantique Nord, en fonction de la vitesse maximale des vents, on emploie les termes de « dépression » ou « onde tropicale » (vents de 60 à 70 km/h maximum), tempête tropicale (vents soutenus de 65 à 117 km/h maximum), ouragan ou cyclone tropical (vents d'au moins 118 km/h soufflant de façon circulaire autour d'un centre relativement calme appelé « œil du cyclone »). Les cyclones ou ouragans sont classés en fonction de leur intensité. On utilise à cet effet l'échelle de Saffir-Simpson.

L'ouragan ou cyclone se développe au-dessus d'eaux océaniques très chaudes, dont la température doit être supérieure à 26 °C sur plusieurs centaines de mètres d'épaisseur. Le cyclone a un diamètre de 100 à 400 kilomètres, il est accompagné d'un système nuageux vaste et épais. L'ensemble se déplace à une vitesse de 5 à 30 km/h selon des trajectoires difficiles à prévoir. Outre les vents très violents, les fortes précipitations provoquent des inondations et des glissements de terrain ainsi que le phénomène de surcote associé à une marée de grande ampleur. Les cyclones qui touchent l'arc des Antilles naissent au large de l'Afrique et se déplacent de l'est vers l'ouest selon des trajectoires erratiques sur l'océan Atlantique, la mer

Classification des cyclones selon l'échelle de Saffir-Simpson

Classes	1	2	3	4	5
Pression en hPa (hectopascals)	supérieure à 980	de 979 à 965	de 964 à 945	de 944 à 920	inférieure à 920
Vents en km/h	de 118 à 153	de 154 à 177	de 178 à 209	de 210 à 249	supérieurs à 249
Élévation du niveau de la mer en mètres	de 1 à 1,7	de 1,8 à 2,6	de 2,7 à 3,8	de 3,9 à 5,6	supérieure à 5,6
Dégâts	minimes	modérés	intenses	extrêmes	catastrophiques

des Caraïbes, le golfe du Mexique pour se terminer sur le continent américain.

Entre le début du mois d'août et la fin du mois de septembre 2004, les Caraïbes ont connu le passage de six cyclones, dont trois particulièrement vigoureux (plus de 3 sur l'échelle de Saffir-Simpson) : Charley, Frances et Yvan (classé dans les catégories 4-5). Le cyclone Charley est le premier à toucher la région Caraïbe entre le 9 et le 15 août. C'est d'abord une onde tropicale au sud-est de l'île de Grenade qui évolue rapidement en cyclone quand il touche Haïti le 11 août avec des vents de 231 km/h.

Entre le 1er et le 20 septembre, deux autres cyclones : Frances, Yvan et une tempête tropicale, Jeanne, ont ravagé Haïti avec des vents violents (à plus de 240 km/h pour Yvan) et des pluies diluviennes (Jeanne). Plus que les rafales de vent (pas plus de 90 km/h) de cette modeste tempête dont le centre est passé au large des côtes septentrionales d'Haïti, ce sont les inondations, les glissements de terrain et les coulées de boue accompagnant les précipitations torrentielles de Jeanne qui ont fait plus de 2 500 victimes (dont la moitié dans la ville des Gonaïves) et 300 000 sinistrés dans l'île. Les 200 000 habitants des Gonaïves, bien que prévenus, n'ont trouvé d'autres moyens de protection que de se barricader chez eux. Les habitations les plus exposées, celles du quartier Raboteau, vaste bidonville construit sur un marécage en bord de mer, ont été submergées par des torrents de boue. Pendant plusieurs jours, la ville a été coupée du monde, sans électricité, eau potable, téléphone, ni suffisamment de nourriture. La population de la région n'a pu compter que sur l'aide d'urgence apportée par les ONG et la Mission des Nations unies pour la stabilisation en Haïti (Minustah). La même tempête Jeanne n'a fait que 25 morts en République dominicaine (autre partie de l'île), 2 à Porto Rico, 9 aux Bahamas, 14 au Panamá.

Au cours de l'été 2004, à Haïti, les victimes de ces tempêtes (plus de 3 000 personnes) ont trouvé la mort. Ces victimes sont venues s'ajouter aux 1 220 personnes qui avaient déjà péri en mai 2004 à la suite des inondations qui avaient dévasté le sud-est de l'île.

Le même scénario se déroule au cours de l'été 2008 : à la suite d'une saison cyclonique particulièrement active, trois cyclones (Gustav, Hanna et Ike) ont fait d'importants dégâts matériels entre fin août et mi-septembre, et près de 800 morts dans l'arc des Antilles, dont une majorité en Haïti. Si Gustav a frappé le sud-ouest de l'île dans la nuit du 25 au 26 août, avec des vents en moyenne de 145 km/h, et fait 66 victimes, c'est surtout Hanna qui, quelques jours après, le 2 septembre, avec des vents d'environ 110 km/h et de fortes précipitations touchant le nord-ouest de l'île, entraîna la mort de 500 personnes, ravageant une nouvelle fois la ville des Gonaïves. L'agglomération a été à nouveau submergée par les inondations et les coulées de boue provoquées par les pluies. Les Gonaïves n'avaient même pas eu le temps de se remettre des tempêtes de 2004 et de 2007 que Hanna s'est présentée. La saison cyclonique de 2008 a laissé des dégâts importants évalués à environ 500 millions de dollars et près de 800 morts. On estime à 400 000 le nombre de familles sinistrées, soit à peu près 2 millions de personnes sur une population de 9,5 millions d'habitants. Malgré l'aide internationale, la situation économique a continué à se dégrader, tant dans les campagnes que dans les bidonvilles de Port-au-Prince, des Cayes ou des Gonaïves.

Comment expliquer que des tempêtes tropicales, théoriquement moins dévastatrices que des cyclones, puissent provoquer la mort de milliers de personnes en Haïti ? Pourquoi le nombre de victimes est-il toujours plus élevé en Haïti que dans les autres îles des Caraïbes ? Quelles sont les conséquences de cette succession de catastrophes ?

UNE VULNÉRABILITÉ ACCRUE PAR LA PAUVRETÉ

. . . .

Quand les médias font état de la catastrophe, ils accusent les fortes pluies associées aux cyclones récurrents et la déforestation massive de l'île (voir ci-contre Haïti). En effet, en dépit de nombreuses lois édictées sur la protection des ressources naturelles, la couverture forestière n'a cessé de reculer en raison des besoins en terre et en bois combustible des populations : en 1950, les forêts recouvraient un quart du territoire contre 2 % aujourd'hui (H. Godard et M.-M. Mérat, in Mappemonde, 2004).

L'absence de végétation exacerbe les conséquences des fortes pluies quand elles s'abattent sur les pentes dénudées des mornes, provoquant ainsi glissements de terrain et coulées de boue dévastatrices. Mais ce ne sont là que des phénomènes déclencheurs, les causes profondes de ces catastrophes sont socioéconomiques et politiques.

HAÏTI

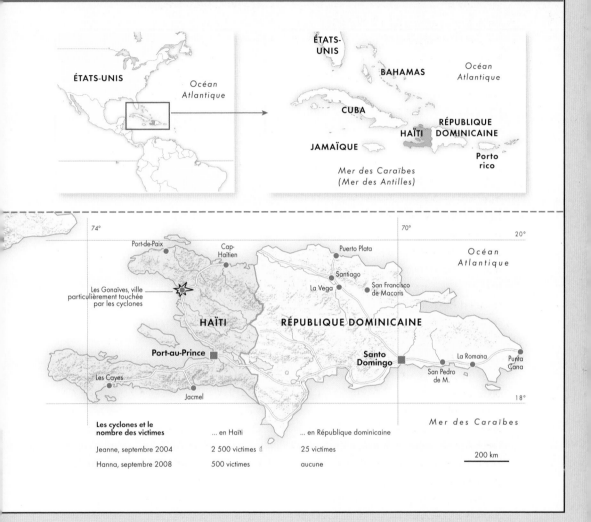

ÉTATS-UNIS

Océan
Atlantique

ÉTATS-UNIS

BAHAMAS

Océan
Atlantique

CUBA

RÉPUBLIQUE
DOMINICAINE

HAÏTI

JAMAÏQUE

Porto
rico

Mer des Caraïbes
(Mer des Antilles)

74°

70°

20°

Port-de-Paix

Cap-
Haïtien

Puerto Plata

Océan
Atlantique

Les Gonaïves, ville
particulièrement touchée
par les cyclones

Santiago

La Vega

San Francisco
de Macoris

HAÏTI

RÉPUBLIQUE DOMINICAINE

Port-au-Prince

Santo
Domingo

La Romana

Punta
Cana

Les Cayes

San Pedro
de M.

Jacmel

18°

Mer des Caraïbes

**Les cyclones et le
nombre des victimes**	... en Haïti	... en République dominicaine
Jeanne, septembre 2004	2 500 victimes	25 victimes
Hanna, septembre 2008	500 victimes	aucune

200 km

En effet, Haïti est l'un des États les plus pauvres du continent américain (plus de la moitié de la population vit avec moins d'un dollar par jour, 80 % avec moins de 2 dollars). Estimée à près de 9,5 millions d'habitants, soit une densité moyenne de plus de 300 hab./km², cette population continue de croître au rythme de 2 % par an, augmentant ainsi pression démographique et urbanisation. Les villes se développent de façon incontrôlée avec d'immenses quartiers d'habitat précaire : à Port-au-Prince, la capitale dont la population est d'environ 3 millions d'habitants, 50 % de ceux-ci vivent dans les bidonvilles qui encerclent la ville. Situés dans des secteurs exposés, avec des infrastructures mal entretenues ou insuffisantes, ces bidonvilles sont les plus affectés lors des intempéries. L'ampleur des dégâts et le nombre de victimes sont révélateurs de la faillite d'un État incapable de mettre en place des mesures de prévention et d'encadrement des populations à l'annonce des cyclones, comme c'est le cas dans d'autres îles des Caraïbes. Comme toutes les îles des Caraïbes, Haïti dispose des informations diffusées par le centre de prévision de Miami – Tropical Prediction Center National Hurricane Service de la National Oceanic and Atmospheric Administration (NOAA) et du National Weather Service. Des avis sont diffusés toutes les six heures pour informer les États des caractéristiques du phénomène surveillé, des territoires éventuellement menacés et de l'évolution en cours.

Dans les départements français d'outre-mer, les consignes de sécurité et les plans d'alerte mis en place par les autorités préfectorales sont très efficaces ; il existe une véritable « culture du risque » : chacun connaît les gestes avant, pendant et après le cyclone. Si l'économie locale est fortement perturbée à la suite des dégâts causés aux infrastructures et à l'agriculture, on déplore peu de victimes humaines. Il en est de même à Cuba où des évacuations préventives massives des littoraux sont organisées dès qu'un ouragan menace le pays. En Haïti, les possibilités d'alerte et d'évacuation sont beaucoup plus réduites. Lorsque les informations parviennent aux populations, elles ne peuvent pas être appliquées correctement faute de ressources suffisantes pour se protéger (constitution de stocks, protection de l'habitation...) ou se déplacer.

L'exemple d'Haïti montre bien que le risque cyclonique est davantage lié à la forte vulnérabilité sociale induite par l'extrême pauvreté de la population, par le manque ou l'insuffisance de mesures de prévention et d'évacuation, qu'à l'intensité de l'aléa. Après chaque catastrophe, les ONG et les institutions internationales doivent pallier les insuffisances de l'État. Malgré la mise en place sous l'impulsion du Programme des Nations unies pour le développement (PNUD), en 2001, d'un système national de gestion des risques et des désastres, les pertes humaines et les dégâts matériels restent importants et la remise en état est très lente. L'accumulation de catastrophes et l'ampleur de la tâche finissent par lasser les donateurs et épuiser le système d'aide, repoussant d'autant les perspectives et les conditions d'un développement. On entre donc dans une sorte de spirale négative dans laquelle la pauvreté est un facteur aggravant le risque, et le risque renforce à son tour la pauvreté. Dans cette logique, les questions de développement durable semblent bien éloignées des préoccupations d'une population qui lutte quotidiennement pour assurer ses besoins élémentaires, aussi les actions en faveur de la réhabilitation de l'environnement sont-elles ponctuelles et limitées. Elles sont conduites par le truchement des bailleurs de fonds. Ainsi, pour lutter contre la dégradation des sols et des ressources naturelles, un programme de lutte contre la désertification a été défini. Il doit être mis en œuvre dans le cadre de la Convention internationale de lutte contre la désertification (CCD).

- - - - - - - - - - - - - -

EN CONCLUSION

- - - - - - - - - - - - - -

Les catastrophes, dites « naturelles » par le seul fait qu'elles sont déclenchées par des cyclones, des inondations, des glissements de terrain et des séismes sont ancrées dans des contraintes d'ordre démographique, socioéconomique et politique. Les autorités internationales ont reconnu que la pauvreté est le premier facteur de vulnérabilité d'Haïti. La réduction efficace du risque passe par une réduction de la pauvreté et une amélioration de la gestion des risques et de l'accès aux services.

06

IDÉES REÇUES, PIÈGES À ÉVITER

→   La pauvreté est associée exclusivement
au sous-développement.

→   La pauvreté est due aux méfaits et aux insuffisances
de la nature.

→   La pauvreté est incompatible avec le développement
durable, les pauvres dégradent leur environnement.

→   Lutter contre la pauvreté passe par l'application
d'un modèle universel.

PAUVRETÉ ET DÉVELOPPEMENT DURABLE SONT-ILS ANTINOMIQUES ?

« La pauvreté peut être définie comme la condition dans laquelle se trouve un être humain qui est privé de manière durable ou chronique des ressources, des moyens, des choix, de la sécurité et du pouvoir nécessaires pour jouir d'un niveau de vie suffisant et d'autres droits civils, culturels, économiques, politiques et sociaux » (Comité des droits économiques, sociaux et culturels, ONU, 2001). Alors que le monde n'a jamais été aussi riche, plus d'un milliard de personnes souffrent d'extrême pauvreté – elles disposent de moins d'un dollar par jour. Sur la planète, 80 % de la population mondiale n'a que 20 % des revenus. Plus de 850 millions d'êtres humains souffrent de malnutrition, laquelle provoque directement ou indirectement le décès de 116 enfants avant l'âge de 5 ans sur 1 000 enfants nés dans les pays à faible revenus. La pauvreté se définit par des manques (en termes de nourriture, de logement, de soins, d'éducation). Tout cela contribue à réduire la dynamique qui permet d'aller vers le développement durable. La stratégie de réduction de la pauvreté est une stratégie de développement durable.

- Comment définir et mesurer la pauvreté ?
- La croissance permet-elle d'éradiquer la pauvreté ?
- Comment lutter contre la pauvreté dans l'objectif d'un développement durable ?

LA PAUVRETÉ DANS LE MONDE : COMMENT LA MESURER ?

La pauvreté est la première cause de mortalité dans le monde : la faim et la malnutrition, l'absence d'eau potable, d'assainissement, l'impossibilité d'accès aux services de santé, l'insalubrité, l'absence de vaccination des enfants… tuent des millions de personnes chaque année. Selon les Nations unies, en 2005, près d'un quart des travailleurs du monde ne gagnaient pas assez pour dépasser le seuil de pauvreté, soit un dollar par jour. Le virus du VIH, qui touche une part importante de la population d'Afrique subsaharienne, accélère le processus de pauvreté : il provoque la perte de revenus, de main-d'œuvre familiale (pour le jardinage, la préparation des repas…), implique des dépenses de santé accrues et des frais funéraires. Les enfants se retrouvent orphelins et à la charge d'autres familles qui voient leurs revenus diminuer d'autant. Dans une perspective de développement humain, la pauvreté signifie davantage que l'absence de ce qui est nécessaire au bien-être matériel. Le manque de choix et de perspectives est souvent aussi important que la faiblesse du revenu. Constater cette situation conduit à tenter de mesurer la pauvreté avec deux indices : l'indice de développement humain (IDH) et l'indice de pauvreté humaine (IPH). Dès 1945, la Charte des Nations unies s'engageait à « favoriser le progrès social » et à « instaurer de meilleures conditions de vie dans une liberté plus ample », mettant en évidence ce qui serait nommé ultérieurement le « développement humain », enjeu social primordial du développement durable à l'échelle planétaire. La perspective d'un développement durable repose avant tout sur l'éradication de la pauvreté, qui empêche toutes formes de développement.

L'indice de développement humain (IDH) a été créé en 1990 pour mesurer le développement. Calculé par le Programme des Nations unies pour le développement (PNUD), il prend en compte trois facteurs : l'espérance de vie, le niveau d'instruction (taux d'alphabétisation des adultes et nombre d'années d'études) et le PIB. Le développement humain, reflet de la qualité de vie des hommes, inclut la notion de « bien-être » en s'appuyant sur certains articles de la Déclaration universelle des droits de l'homme de 1948. Le bien-être des hommes ne relève pas uniquement du niveau de revenus et de l'économie, il intègre des facteurs sociaux, culturels, éducatifs et de santé. Le développement humain prend donc en compte un certain nombre de critères qui renvoient à la qualité de vie, l'espérance de vie, la santé, l'alphabétisation, la pauvreté, l'alimentation… *(voir p. 107, L'indice de développement humain [IDH] des pays du monde)*.

L'indice de pauvreté humaine (IPH) permet de préciser les apports du précédent indicateur. Le *Rapport mondial sur le développement humain* de 1997 a introduit ce nouvel indice qui regroupe différents marqueurs des manques en matière de qualité de vie. L'IPH a pour but de parvenir à une évaluation de l'ampleur de la pauvreté dans les pays en développement, mais aussi au sein des pays riches où existent des poches de pauvreté qui ne cessent de prendre de l'ampleur ces dernières années. Plutôt que de mesurer la pauvreté en fonction du revenu, l'IPH utilise des indicateurs incorporant les dimensions les plus fondamentales de la privation : une espérance de vie faible, une carence d'instruction de base et un manque d'accès aux ressources publiques et privées. L'IPH est fondé sur la privation dans les trois éléments essentiels de la vie humaine mis en évidence dans l'IDH : la longévité, la connaissance et un niveau de vie décent.

On distingue deux IPH : IPH-1 pour les pays en voie de développement et IPH-2 pour les pays à hauts revenus de l'Organisation de coopération et de développement économiques (OCDE). Cette distinction se fonde sur plusieurs critères :
– Le premier aspect de l'IPH porte sur la longévité ou la survie, c'est-à-dire le risque de décéder à un âge relativement précoce, exprimé par la probabilité à la naissance de ne pas atteindre respectivement 40 et 60 ans pour l'IPH-1 et l'IPH-2.
– Le deuxième s'intéresse à la connaissance, c'est-à-dire au fait d'être exclu du monde de la lecture et du savoir, exprimé par le taux d'analphabétisme des adultes.
– Le troisième aspect porte sur un niveau de vie décent, en particulier sur l'impossibilité d'accéder à ce que procure l'économie. Ce troisième aspect, dans le cas de l'IPH-1, est exprimé par la moyenne du pourcentage de la population privée d'accès à des points d'eau salubre et du pourcentage d'enfants souffrant d'insuffisance pondérale pour leur âge. S'agissant de l'IPH-2, ce troisième indicateur est exprimé par le pourcentage de la population vivant en dessous du seuil de pauvreté (50 % du revenu moyen disponible par ménage). L'IPH-2 comprend également l'exclusion sociale, exprimée par le pourcentage de personnes en chômage de longue durée.

LA PAUVRETÉ PEUT-ELLE ÊTRE ÉRADIQUÉE PAR LE DÉVELOPPEMENT ?

Qu'entend-on par développement ? Le développement d'un pays est souvent assimilé à sa richesse : on distingue couramment les pays riches ou développés et les pays pauvres ou sous-développés. La prise de conscience du sous-développement date de la conférence de Bandung en Indonésie en 1955. Comment expliquer le sous-développement, la pauvreté ? Plusieurs explications ont été successivement avancées.

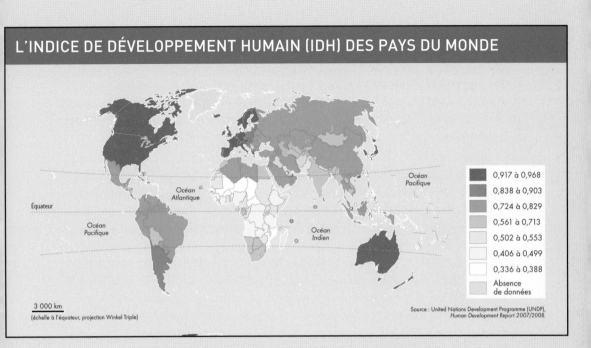

L'INDICE DE DÉVELOPPEMENT HUMAIN (IDH) DES PAYS DU MONDE

Océan Pacifique

Équateur

Océan Atlantique

Océan Pacifique

Océan Indien

■	0,917 à 0,968
■	0,838 à 0,903
■	0,724 à 0,829
■	0,561 à 0,713
	0,502 à 0,553
	0,406 à 0,499
	0,336 à 0,388
	Absence de données

3 000 km
(échelle à l'équateur, projection Winkel Triple)

Source : United Nations Development Programme (UNDP), Human Development Report 2007/2008.

Cette carte qui, par le biais de l'indice de développement humain (IDH), s'attache à envisager les performances en matière socio-économique des États révèle l'ampleur des inégalités entre les pays dits « du Nord » et les pays dits « du Sud ». L'Afrique subsaharienne dans sa quasi-totalité, l'Inde, les pays du Sud-Est asiatique s'opposent par leur faible indice aux États-Unis, à l'Europe, à l'Australie et au Japon. Les pays émergents apparaissent aussi. Cet indice témoigne du découpage socioéconomique de la planète, de la coexistence de pays riches et de pays très pauvres ; il laisse entrevoir les obstacles existants pour atteindre un développement durable planétaire.

Le sous-développement est parfois envisagé comme d'origine naturelle, dû au climat, au manque de ressources naturelles, à la situation géographique du pays concerné. Cette conception, qui date des années 1950, renvoie à des analyses déterministes aujourd'hui largement abandonnées. Les mentalités, la culture, la religion peuvent être des freins au développement : les mentalités essentiellement tournées vers le passé, marquées par des conceptions religieuses privilégiant l'irrationnel seraient aussi des éléments limitant le développement.

Le sous-développement est analysé comme un simple retard de développement par certains économistes, un moment de passage obligatoire avant d'atteindre d'autres stades de développement. C'est la théorie des étapes de la croissance développée dans les années 1960, notamment par Rostow pour qui une société évolue par étapes. Le point de départ est une société traditionnelle essentiellement agricole. Puis l'idée de progrès et les comportements qui lui sont associés se diffusent. L'instruction s'étend et s'adapte aux besoins de l'activité économique moderne. L'esprit d'entreprise se développe et, avec lui, l'épargne et l'investissement ainsi que les échanges intérieurs et internationaux. Le développement de l'agriculture est essentiel pour nourrir une population croissante, pour accroître les exportations et obtenir ainsi les devises nécessaires aux importations de biens d'équipement. La croissance agricole assure également débouchés et capitaux à l'industrie. Vient alors le démarrage : la société dépasse les obstacles qui s'opposaient à sa croissance. Trois conditions permettent la réalisation du démarrage, considéré comme s'étalant sur une période de vingt ans :
– une élévation du taux d'investissement de moins de 5 % du PNB à plus de 10 % ;
– la création de secteurs industriels jouant un rôle d'entraînement ;
– l'existence ou la mise en place d'un « appareil politique social et institutionnel » qui facilite la poursuite de la croissance. Rostow insiste notamment sur le rôle de l'État dans la mobilisation des capitaux nécessaires à l'industrialisation, l'importation de capitaux en provenance des pays développés et la constitution d'un système bancaire permettant le drainage de l'épargne.
Dès lors, l'économie peut se développer au-delà des industries qui l'ont fait démarrer. Les techniques modernes s'étendent à tous les secteurs de l'économie. La consommation de masse, la production de biens de consommation durables et les services deviennent les principaux moteurs et secteurs de l'économie. Une telle analyse ne correspond plus au monde d'aujourd'hui qui s'inscrit désormais dans le cadre de la concurrence et de la mondialisation.

Le courant tiers-mondiste, parmi les autres analyses, a considéré que le sous-développement des uns produit le développement des autres et que l'analyse doit être effectuée en termes de domination. Cette conception a vu le jour dans les années 1960, en particulier autour des économistes Samir Amin et Arghiri Emmanuel. Le sous-développement est considéré comme le produit de la domination exercée par les pays riches sur les pays en développement en situation de dépendance. Cet impérialisme se manifeste par la mainmise des firmes multinationales (FMN), la division internationale du travail (DIT), les salaires faibles, la fuite des cerveaux... Le Nord exploite le Sud : on peut donc opposer les pays du Nord qui constituent « le centre » riche et les pays du Sud pauvres composant la périphérie prolétarisée. Jusqu'ici, ces différentes théories et les tentatives de solutions mises en œuvre n'ont pas abouti à la disparition de la pauvreté et du sous-développement.

QUELLES SOLUTIONS POUR SORTIR DE LA PAUVRETÉ ?

Parmi les solutions d'aide au développement, les pays riches ont financé les pays pauvres après la Seconde Guerre mondiale dans le but premier de les maintenir sous leur dépendance et d'éviter qu'ils ne tombent dans la mouvance de l'Union soviétique, elle-même à l'origine de financements destinés aussi à se créer une « clientèle » de fidèles. La géopolitique et la logique des blocs ont trouvé leur justification dans la lutte contre le sous-développement, mais les résultats ont été très limités.

En 1989, de nouvelles pratiques économiques ont été proposées aux pays en développement, dans le cadre de ce que l'on nomme le « consensus de Washington » (1989). Cette expression désigne l'accord sur le diagnostic du « retard » des économies en développement, qui serait dû à leur carence en capital et à des problèmes de marché, et les réponses à apporter. Le consensus préconise des mesures libérales, davantage de discipline budgétaire, la réorientation des dépenses publiques, une réforme fiscale, la libéralisation des taux d'intérêt, des taux de change unifiés concurrentiels, la libération des échanges, l'ouverture aux investissements directs étrangers. Il affirme l'importance de la privatisation, de la déréglementation, du droit de propriété et implique le recul de l'État.
La mise en œuvre de ces principes a conduit certains pays à la faillite (Argentine, Mexique...). Des critiques sévères se sont élevées et la Banque mondiale a désormais infléchi sa politique d'aide directement liée à la mise en œuvre des principes prônés par le « consensus de Washington ».

La lutte contre la pauvreté et le sous-développement est le fait des États, des grands organismes internationaux, Banque mondiale et Fonds monétaire international (FMI), et de plus en plus des organisations non gouvernementales (ONG) qui relaient ces grands organismes.

LA BANQUE MONDIALE ET LE FMI

Le groupe de la Banque mondiale comprend la Banque internationale pour la reconstruction et le développement (BIRD), la Société financière internationale (SFI), l'Association internationale de développement (AID), le Centre international pour le règlement des différends relatifs aux investissements (Cirdi), l'Agence multilatérale de garantie des investissements (Miga). L'usage désigne souvent la BIRD et l'AID du nom de Banque mondiale. La Banque mondiale possède un capital apporté par les pays membres et emprunte sur les marchés internationaux de capitaux. Elle finance des projets sectoriels, publics ou privés, à destination des pays en développement et en transition. Récemment, la Banque mondiale a «verdi» ses objectifs, imposant que soient pris en compte les aspects environnementaux dans les opérations qu'elle finance.

Le FMI (Fonds monétaire international), institution spécialisée des Nations unies, fondé officiellement en 1945, après la ratification par 29 pays des accords adoptés à la conférence de Bretton Woods en juillet 1944, a été créé pour encourager la coopération monétaire internationale, pour promouvoir la stabilité des changes, pour mettre temporairement, moyennant des garanties adéquates, ses ressources générales à la disposition des États membres qui ont des difficultés de balance des paiements. Le FMI dispense conseils, assistance technique et soutien financier aux pays à faible revenu.

L'aide publique au développement (APD) constitue une des formes de l'aide des pays riches aux pays pauvres. Il s'agit d'un ensemble de financements de programmes de coopération technique, d'aides à des projets de soutien macroéconomiques apportés par les pays de l'OCDE. Environ 0,23 % du PIB des pays de l'OCDE a été consacré à l'APD ces dernières années, alors qu'au sommet de Johannesburg avait été envisagé de leur allouer 0,7 % du revenu national brut. L'aide publique peut être remplacée par des capitaux privés, mais ceux-ci sont très sélectifs : ils s'adressent aux pays pourvus de ressources et délaissent souvent les plus pauvres.

Beaucoup de pays du Sud sont très endettés. Ainsi, à partir de mai 1989, la France a décidé d'accorder aux pays les plus pauvres et les plus endettés (notamment d'Afrique subsaharienne) l'annulation de la totalité de leur dette relevant de l'APD. À partir de 2001, la France a accordé une réduction supplémentaire dans le cadre de contrats de désendettement et de développement (C2D). Les États continuent de rembourser leur dette ; une fois le remboursement effectué, la France reverse la somme correspondante sur un compte spécifique de la Banque centrale du pays ; l'État bénéficiaire utilisant ces flux au fur et à mesure de l'avancement des programmes inscrits dans le C2D négocié entre son gouvernement et celui de la France. Pour nombre d'ONG, l'annulation de la dette n'est pas une mesure de solidarité mais de justice. Pour d'autres, les annulations totales ne permettent pas aux débiteurs d'être éligibles à d'autres prêts et de sortir de la spirale du sous-développement.

Les pays africains (Afrique subsaharienne), en dépit des objectifs plus ou moins mis en œuvre, ne se sont pas beaucoup développés et la pauvreté n'a guère reculé. Au cours des trente dernières années, les pays qui ont reçu le plus d'aide n'ont pas enregistré un fort mouvement de croissance. Bien que l'aide ait largement servi à d'autres buts que ceux qui étaient fixés, les capitaux occidentaux n'ont pas cessé d'arriver, y compris dans les cas de corruption avérée. Le problème fondamental est donc institutionnel. Si l'aide cessait d'affluer, qu'arriverait-il ? Pour certains chercheurs, ce serait la fin de la corruption, le vrai début de l'esprit entrepreneurial. Mais il faudrait parallèlement réformer les institutions.

Beaucoup d'auteurs prônent le microcrédit et des investissements directs. Or l'aide officielle à l'Afrique (37 milliards de dollars US) se monte actuellement au double des investissements directs (17 milliards). La Chine a compris les bienfaits qu'elle pourrait tirer des investissements directs en Afrique. Elle crée des emplois, obtient un retour sur investissement. Les milliers de kilomètres de routes, voies ferrées et pipelines financés par Pékin sont bien perçus en général par les populations locales. Pour autant, la Chine intègre-t-elle la dimension du développement durable dans ces réalisations ?

L'élimination de la pauvreté est un objectif prioritaire incontestable sans lequel il ne peut y avoir de développement durable. Pour y parvenir, la croissance ne suffit pas. Une politique de redistribution est indispensable, associée à d'autres types de politiques, selon un dosage très dépendant du contexte. La réduction de la pauvreté ne peut qu'être intégrée à un contrat social et politique global. Dans les faits, comme le souligne Pierre-Noël Giraud (2008), « le potentiel et l'étendue possible des politiques de réduction de la pauvreté et/ou des inégalités, l'importance des gains à en attendre, les moyens les plus efficaces pour les mettre en œuvre, tout cela est hautement spécifique à chaque pays, voire à chaque situation locale ». Il n'existe pas de recette « universelle ». Toute politique de lutte contre la pauvreté doit analyser les mécanismes d'appauvrissement, de marginalisation qui caractérisent les formes d'inégalités responsables des situations de pauvreté. La mise en œuvre de véritables politiques de réduction de la pauvreté appelle des évolutions de fond dans les pratiques des acteurs nationaux et internationaux et nécessite toujours plus de démocratie. Certains pays considèrent que sortir de la pauvreté et du mal-développement peut s'effectuer dans le cadre d'une politique de protection de la nature. Il est vrai qu'ils ont profité (et continuent à le faire) des aides fournies à cet effet par les instances internationales et les grandes ONG de protection de la nature telles que WWF. Madagascar fournit un exemple de cette situation.

LUTTER CONTRE LA PAUVRETÉ ET PRÉSERVER
LA BIODIVERSITÉ : L'EXEMPLE DE MADAGASCAR

Situé à 400 kilomètres au large des côtes sud-est du continent africain, entre le canal de Mozambique et l'océan Indien, Madagascar est la quatrième plus grande île du monde, avec une superficie de 594 180 km². Considéré comme un des pays les plus pauvres de la planète, mais aussi comme l'un des plus richement dotés en termes de biodiversité spécifique, Madagascar a fait l'objet de tout un ensemble de mesures et de programmes d'action censés lutter contre la pauvreté tout en préservant et en valorisant la biodiversité. Entre multiplication des aires protégées et actions de conservation associant les communautés locales, la politique environnementale malgache financée par les bailleurs de fonds internationaux et mise en œuvre par une myriade d'ONG et d'associations locales pose un certain nombre de questions qui font l'objet de débats : peut-on concilier développement des communautés rurales et conservation de la biodiversité ? Les actions menées sans réelle implication des sociétés locales sont-elles efficaces ? Permettent-elles d'éradiquer la pauvreté ?

MESURES ET MANIFESTATIONS DE LA PAUVRETÉ

Quelques indicateurs classiques permettent de donner la mesure de la pauvreté à Madagascar et de situer cette île par rapport à un pays développé, la France. Madagascar compte aujourd'hui parmi les pays les plus pauvres du monde. La situation de l'île s'explique par les difficultés économiques et politiques depuis 1970 (expérience « socialiste », austérité imposée par les plans d'ajustement structurel, crises politiques diverses...) auxquelles s'ajoutent la corruption et l'incurie de l'État.

Le dernier rapport national de suivi des Objectifs du millénaire pour le développement concernant Madagascar (2007) note que la pauvreté économique accuse un léger recul. Celle-ci touche tous les espaces, aussi bien les villes que les campagnes, avec de grandes disparités : près des trois quarts des pauvres (73,5 %) résident en milieu rural, et surtout dans les régions des côtes est, sud-ouest et sud de l'île où les taux peuvent atteindre plus de 80 %. Une brève présentation de ces deux parties de Madagascar permet de dresser un

Indicateurs (2007)	Madagascar	France
IDH/rang	0,533, soit 143e rang parmi 177 pays	0,952 (10e)
Espérance de vie	59 ans	81 ans
Taux d'alphabétisation des adultes	68,9 %	99 %
PIB réel par habitant calculé en parité de pouvoir d'achat (PPA)	905 USD	34 145 USD
Indice de fécondité	5,4	2,0
Population vivant avec moins de 1 USD par jour (taux de pauvreté)	68,7 %	
Mortalité infantile	94 ‰	4 ‰

portrait de la pauvreté en milieu rural. Ces deux régions, très contrastées, vivent presque essentiellement de l'agriculture. Dans l'Est, le riz, aliment le plus prisé, est cultivé aux côtés d'autres cultures vivrières, comme le manioc. Le climat tropical humide a permis aux paysans de développer des cultures d'exportation – en particulier le café, le poivre, le girofle, ainsi que la vanille dans le Nord-Est –, qui sont très sensibles aux fluctuations des prix sur les marchés mondiaux. Dans le Sud au climat tropical sec, l'élevage domine, mais le troupeau est avant tout symbole de richesse, les cultures du manioc et du maïs sont à la base du vivrier. Dans ces contrées caractérisées par de grandes difficultés de communication et un fort enclavement des populations, où l'autoconsommation représente plus de 70 % des productions alimentaires, pénurie et insécurité alimentaires se côtoient. En période de soudure, les faibles revenus des ménages sont prioritairement consa-

crés aux dépenses alimentaires. Cette vulnérabilité des populations est aggravée par les catastrophes naturelles (cyclones, sécheresse) qui obligent les paysans à vendre une partie de leurs maigres actifs pour se procurer les ressources nécessaires (par exemple, la vente d'une partie du troupeau dans le sud du pays) ou à recourir à l'endettement. Pour faire face à ces situations difficiles, les populations ont mis au point quelques stratégies de survie : multi-activité, émigration. Le gouvernement peut aussi faire appel à l'aide alimentaire d'urgence qui se déclenche dès que le système d'alerte précoce (SAP) détecte les situations de disette, comme ce fut le cas pour le sud du pays lors de la grande sécheresse des années 2000-2004 (J.-É. Bidou et I. Droy, in *Mondes en développement*, 2007). Peu de revenus restent disponibles pour l'éducation des enfants, pour la santé, ou pour faire le moindre investissement. La pauvreté se traduit par des logements exigus sans eau courante, ni électricité, ni fosse septique. Environ un ménage sur cinq bénéficie d'un approvisionnement en eau saine, c'est-à-dire provenant d'un puits aménagé ou d'une pompe. Les services sont déficients dans tous les domaines (éducation, santé, communication). Par exemple, dans le domaine scolaire, non seulement le taux de scolarisation est faible, mais le nombre d'élèves par classe est élevé et de nombreuses sections fonctionnent à mi-temps ou par rotations.

L'IDH révèle bien les difficultés du pays – Madagascar se situe au 143e rang mondial sur 177 pays. Bien qu'il ait connu depuis 2000 une amélioration selon la Banque mondiale, sa situation reste précaire. L'insuffisance de la production agricole combinée à la faiblesse des importations alimentaires a des conséquences directes sur la situation nutritionnelle de la population. La conséquence de la pénurie alimentaire et de la malnutrition est le retard de croissance dont souffrent 45 % des enfants malgaches de moins de 5 ans. Les maladies telles que le paludisme font des ravages.

CONSERVER ET VALORISER LA BIODIVERSITÉ, UN MOYEN DE LUTTER CONTRE LA PAUVRETÉ ?

Avec plus de deux tiers de sa population en dessous du seuil de pauvreté, la lutte contre la pauvreté est une priorité pour le gouvernement malgache et les bailleurs de fonds. Comme tous les pays les moins avancés (PMA), Madagascar bénéficie de l'aide de la communauté internationale par l'intermédiaire des principaux bailleurs de fonds – le Programme des Nations unies pour le développement (PNUD), la Banque mondiale, l'Union européenne, la France. Ce soutien prend plusieurs formes : annulation de dette, financement des programmes de développement, assistance organisationnelle et technique...

Le plan d'action Madagascar mis en place par le gouvernement pour les années 2007-2012 réitère des stratégies envisagées dès 2002 dans le « Document de stratégie pour la réduction de la pauvreté » en vue d'atteindre un développement « rapide et durable ». Différents programmes sont inscrits dans le cadre de ce plan d'action national, dont le Programme national d'action pour l'environnement (PNAE) qui retiendra plus particulièrement notre attention.

Le PNAE a été initié par le gouvernement malgache dès le début des années 1990, avant la conférence de Rio, sous l'impulsion des scientifiques et des grandes organisations non gouvernementales (ONG) environnementalistes telles que World Wide Fund for Nature (WWF) et Conservation International (CI). Il s'est développé à la faveur de réunions internationales avec le soutien de presque toute la communauté internationale dans un souci de conservation de la biodiversité. En effet, Madagascar, doté d'une exceptionnelle variété de flore et de faune spécifiques, fait partie des sept hauts lieux (hot spots) de la biodiversité mondiale avec un taux d'endémisme qui atteint 80 %. Une telle biodiversité a été considérée par les acteurs du développement durable comme importante autant pour l'humanité que pour la survie des habitants du pays. Ce souci de préservation des écosystèmes, et plus particulièrement des forêts, ne date pas d'aujourd'hui, il a débuté dès les années 1920.

Madagascar est l'un des premiers pays au monde à avoir décrété le statut d'aire protégée en créant en 1927 la première réserve naturelle intégrale qui couvrait à l'époque plus de 500 000 hectares. Une nouvelle vague de créations de réserves spéciales a eu lieu dans les années 1950 et 1960 (S. Carrière-Buchsenschutz, in *Études rurales*, 2006, n° 178).

La politique environnementaliste malgache, fortement teintée de conservationnisme, s'est mise en place en plusieurs phases :
– phase 1 (1991-1995), majoritairement subventionnée par les bailleurs de fonds américains : création d'un Office national de l'environnement et élaboration de mesures d'urgence comme les aires protégées ;
– phase 2 (1996-2003) : promotion de la gestion durable des ressources et de l'environnement grâce à la planification intercommunale, la gestion communautaire des ressources avec valorisation de la biodiversité (artisanat, apiculture, plantes médicinales et aromatiques, écotourisme) dans le cadre d'une politique de décentralisation ;
– phase 3 (2004-2009) : financement endogène des actions, triplement des aires protégées. Pour le gouvernement malgache et les nombreux promoteurs étrangers de sa politique (institutions, ONG, industriels relevant de grands pays occidentaux : États-Unis, Japon, Allemagne, France...), toutes ces opérations obéissent à un double objectif : gérer durablement l'environnement et améliorer les conditions de vie des populations locales en les associant aux actions menées.

Un nombre impressionnant de projets de conservation et de valorisation de la biodiversité sont mis en œuvre dans le pays. Quarante-six aires protégées légales couvrant 1 700 000 hectares, soit 3 % du territoire national, ont été créées avec des projets d'extension prévus qui devraient aboutir à un triplement de ces surfaces *(voir p. 116, Madagascar : les aires protégées actuelles et pressenties)*. Diverses stratégies ont été expérimentées, allant des actions de conservation qui associent les populations locales à la gestion des ressources à des opérations d'extension des aires protégées qui les excluent. Pour valoriser le riche patrimoine de l'île, l'accent est mis sur le développement du commerce des produits issus des ressources biologiques (produits pharmaceutiques, huiles essentielles), sur l'artisanat, les sources énergétiques alternatives (production de gazole vert à partir du jatropha) et surtout l'écotourisme. Cette activité est considérée aujourd'hui comme un des piliers de l'économie malgache. L'objectif est de faire de Madagascar la première destination touristique de l'océan Indien avec une fréquentation de 400 000 écotouristes par an.

Toutes ces politiques ont des limites alors qu'elles devraient permettre un développement économique de l'île et une réduction des utilisations prédatrices de la forêt. Si la déforestation ralentit, l'intégration et l'adhésion des paysans malgaches aux actions entreprises semblent réduites. Les bénéfices des nouvelles activités profitent surtout aux acteurs extérieurs (ONG, touristes, puissances occidentales) et touchent de façon très inégalitaire les communautés locales, augmentant ainsi les inégalités sociales. Par exemple, les régions écotouristiques labellisées accaparent l'essentiel des retombées financières (80 % des visites sont concentrées sur les cinq aires protégées), notamment dans l'Est et

MADAGASCAR : LES AIRES PROTÉGÉES ACTUELLES ET PRESSENTIES

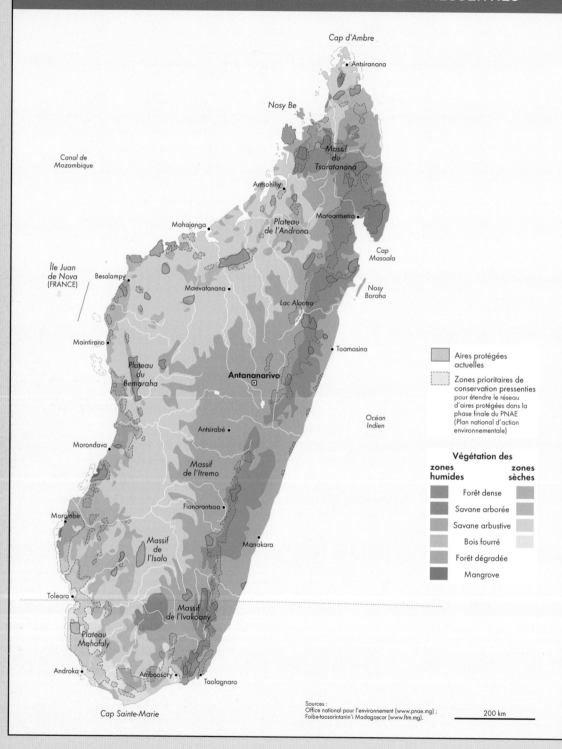

Cap d'Ambre

• Antsiranana

Nosy Be

Canal de
Mozambique

Massif
du
Tsaratananá

Antsohihy •

Mahajanga •

Plateau
de l'Androna

Maroantsetra •

Île Juan
de Nova
(FRANCE)

Besalampy •

Maevatanana •

Lac Alaotra

Cap
Masoala

Nosy
Boraha

Maintirano •

Plateau
du
Bemaraha

• Toamasina

Antananarivo
□

Océan
Indien

Morondava •

Antsirabé •

Massif
de l'Itremo

Morombe •

Fianarantsoa •

Massif
de
l'Isalo

Manakara •

Toleara •

Massif
de l'Ivakoany

Plateau
Mahafaly

Androka •

Amboasary •

• Taolagnaro

Cap Sainte-Marie

**Aires protégées
actuelles**

**Zones prioritaires de
conservation pressenties**
pour étendre le réseau
d'aires protégées dans la
phase finale du PNAE
(Plan national d'action
environnementale)

Végétation des

**zones
humides**

**zones
sèches**

Forêt dense

Savane arborée

Savane arbustive

Bois fourré

Forêt dégradée

Mangrove

Sources :
Office national pour l'environnement (www.pnae.mg) ;
Foibe-taosarintanin'i Madagascar (www.ftm.mg).

200 km

MADAGASCAR, HOT SPOT TOURISTIQUE OU ÉCOLOGIQUE ?

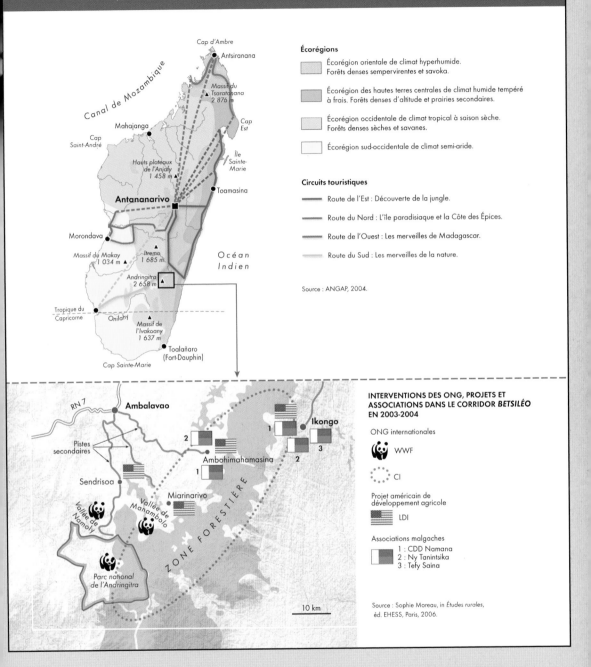

Écorégions

Écorégion orientale de climat hyperhumide.
Forêts denses sempervirentes et savoka.

Écorégion des hautes terres centrales de climat humide tempéré
à frais. Forêts denses d'altitude et prairies secondaires.

Écorégion occidentale de climat tropical à saison sèche.
Forêts denses sèches et savanes.

Écorégion sud-occidentale de climat semi-aride.

Circuits touristiques

Route de l'Est : Découverte de la jungle.

Route du Nord : L'île paradisiaque et la Côte des Épices.

Route de l'Ouest : Les merveilles de Madagascar.

Route du Sud : Les merveilles de la nature.

Source : ANGAP, 2004.

INTERVENTIONS DES ONG, PROJETS ET ASSOCIATIONS DANS LE CORRIDOR *BETSILÉO* EN 2003-2004

ONG internationales

WWF

CI

Projet américain de développement agricole

LDI

Associations malgaches

1 : CDD Namana
2 : Ny Tanintsika
3 : Tefy Saina

Source : Sophie Moreau, in *Études rurales*,
éd. EHESS, Paris, 2006.

le Nord forestier (voir p. 117, *Madagascar, hot spot touristique ou écologique ?*). On peut donc s'interroger sur l'impact environnemental d'un tel afflux de touristes. Il arrive aussi parfois que l'objectif de réduction de la pauvreté et celui de la gestion durable des ressources soient infirmés par les dynamiques socioéconomiques et environnementales.

LES LIMITES DE LA POLITIQUE ENVIRONNEMENTALE : L'EXEMPLE DU CORRIDOR BETSILÉO

. . . .

Le corridor betsiléo présenté par Sophie Moreau (in *Études rurales*, 2006) témoigne d'une part de la diversité des projets et de leurs promoteurs sur un espace réduit, d'autre part de la difficulté de concilier la politique environnementale d'inspiration conservatrice avec les pratiques et les besoins des communautés locales, tout particulièrement les plus pauvres (voir p. 117, *Madagascar, hot spot touristique ou écologique ?*).

Une forêt dense relativement préservée et facilement accessible couvre la bordure orientale du pays betsiléo (hautes terres malgaches). Ce massif forestier, cible de la politique nationale de protection de la biodiversité dès les premières années de la mise en place du PNAE, est inclus dans un « corridor forestier » qui relie les parcs nationaux de Ranomafana et de l'Andringitra à la réserve spéciale du pic d'Ivohibe. Selon les naturalistes, ce corridor correspondrait à un « pont écologique » pour les espèces et serait primordial pour la préservation de la biodiversité dans les trois aires protégées. Le secteur est donc le réceptacle de nombreux projets de conser-

vation et de développement rural portés par de multiples intervenants : agences environnementales d'État ; autorités provinciales, régionales et communales : ministère des Eaux et Forêts ; acteurs non étatiques très hétérogènes participant aux côtés des bailleurs de fonds et de l'État malgache à la stratégie de développement durable : les grandes ONG internationales de protection de la nature (WWF, CI) ; des ONG malgaches et de nombreuses associations issues des élites citadines locales qui travaillent en sous-traitance pour les grandes ONG. Leurs modalités d'intervention diffèrent : le CI participe aux inventaires forestiers et à la délimitation de nouvelles aires protégées ; le WWF joue une carte plus sociale d'éducation environnementale des populations locales ; les associations sont plutôt porteuses de projets de développement dans les villages voisins de la forêt tels que l'écotourisme, l'exploitation de la forêt pour le bois, les plantes médicinales et aromatiques, l'amélioration des techniques de la riziculture...

Les populations Betsiléo et Tanala qui sont installées en bordure du massif forestier vivent de l'agriculture. La forêt est utilisée pour la chasse et les produits de la cueillette, qui sont soit consommés pendant les périodes de soudure pour les plus pauvres, soit vendus sur les marchés locaux pour acheter le riz quotidien. L'accroissement de la population dans la région déjà assez densément peuplée (80 hab./km²) et les faibles rendements de la riziculture irriguée ont favorisé les défrichements pour produire des cultures vivrières et commerciales ou pour acquérir des réserves foncières par crainte des interdictions à venir. Les familles les plus pauvres ont développé l'agriculture sur brûlis, la pêche, les prélèvements dans la forêt.

Les ONG considèrent qu'il est urgent de limiter ces défrichements qui fragmentent le corridor et aggravent à moyen terme la pauvreté des paysans. Leur schéma de préservation devrait, à plus long terme, profiter aux populations locales par le biais de nouvelles activités comme l'éco-tourisme, l'exploitation des plantes médicinales. Cette vision conservatrice ne rencontre pas l'assentiment des paysans pour lesquels la forêt, domaine du sacré, est aussi le pourvoyeur de ressources complémentaires ; le maintien des conditions de vie et de subsistance est leur priorité. L'idée d'une ressource limitée qu'il faudrait gérer et, le cas échéant, préserver leur semble lointaine d'autant que les ONG ne parviennent pas à leur démontrer l'ampleur de la déforestation, qui est souvent exagérée, et que le massif forestier leur semble étendu. Les difficultés de dialogue entre paysans et ONG sont encore accrues par la méfiance des paysans à l'égard de « l'étranger », perçu comme un représentant de l'arbitraire, par l'enclavement des villages et aussi par le faible niveau d'éducation des paysans.

Quant à l'action des associations, les contrats de gestion qu'elles proposent déclinent au niveau local la loi forestière en vigueur en multipliant les interdictions ou les limitations de défrichements, de feux de brousse. Ces règles pénalisent les plus pauvres qui, au moins durant la soudure, vivent des prélèvements en forêt et qui pratiquent la culture sur brûlis. Les plans d'aménagement de ces associations manquent parfois de moyens techniques et financiers ou sont en décalage avec les réalités paysannes. Sans prendre en compte les savoirs et savoir-faire des paysans, ils reproduisent le modèle des aires protégées en délimitant des zones d'usage autour d'un cœur soustrait aux utilisations. Ce zonage coïncide mal avec la diversité des activités paysannes et ignore la mobilité spatiale de celles-ci.

Globalement, toutes ces actions définies rapidement, sans véritable implication des paysans, à partir des analyses et des stratégies des bailleurs, sont peu efficaces. En termes de protection de la biodiversité, les effets de la gestion locale paraissent incertains. Les cultures sur brûlis ont régressé, mais cette réussite semble davantage liée au rôle de gendarme exercé par les agents des ONG qu'à une véritable adhésion des paysans au projet environnemental et à une appropriation des outils de gestion. En outre, la protection de la forêt risque d'être acquise au prix d'une fragilisation de la situation économique et d'une pression accrue sur les rizières. Les structures et les moyens développés pour aider les communautés paysannes ont surtout profité aux élites urbaines qui participent aux associations.

- - - - - - - - - - - - - -

EN CONCLUSION

- - - - - - - - - - - - - -

La tentative de mise en œuvre du développement durable à Madagascar, qui privilégie la dimension environnementale (politique de conservation) au détriment des populations locales, montre ses limites, dont le modèle global issu des pays riches est largement responsable.

07

IDÉES REÇUES, PIÈGES À ÉVITER

→ Trop d'hommes pour une planète qui ne peut
les nourrir.

→ Les conditions naturelles sont responsables des famines
et de la malnutrition.

→ L'agriculture biologique peut nourrir la planète.

→ La Terre a une capacité infinie pour répondre
aux besoins alimentaires des hommes.

→ La planète ne peut produire davantage ;
elle a atteint ses limites.

NOURRIR LA PLANÈTE EST-IL COMPATIBLE

AVEC LE DÉVELOPPEMENT DURABLE ?

Le discours commun considère que près d'un milliard d'individus sont affectés par la sous-alimentation parce que la nature ne produit pas assez. Certaines projections effectuées pour la fin du XXIᵉ siècle, fondées sur l'idée d'une très forte croissance démographique impliquant une augmentation considérable de la demande alimentaire, rejoignent l'analyse précédente. Est-ce parce que les hommes seraient trop nombreux qu'ils ne mangeraient pas à leur faim, faute de ressources nécessaires ? Cette conception très répandue rejoint la position malthusienne.

Dans le passé, la dépendance des sociétés par rapport à la nature était fondamentale, la production alimentaire dépendant des données climatiques : un été trop sec ou trop humide, un automne froid pouvaient compromettre la récolte (Emmanuel Le Roy Ladurie). Se posaient alors des problèmes de soudure, d'autant plus difficiles à résoudre que les échanges étaient faibles avec l'extérieur, la vie des campagnes étant alors très largement autarcique. Qu'en est-il aujourd'hui dans le cadre de la mondialisation ?

• La planète peut-elle nourrir une population croissante ?

• Quelles sont les causes de la malnutrition, de la sous-nutrition, des famines ?

• Quels types d'agriculture pour nourrir les hommes au XXIᵉ siècle ?

SOUS-NUTRITION, MALNUTRITION : UN PROBLÈME LIÉ D'ABORD À LA PAUVRETÉ ET AU SOUS-DÉVELOPPEMENT

En 2000, la production mondiale de céréales, toutes espèces confondues, représentait 2 milliards de tonnes pour 6 milliards d'hommes, soit 330 kg par personne et par an, presque 1 kg par jour. Cette quantité moyenne est en apparence suffisante, mais on sait qu'elle n'empêche pas la sous-alimentation de plus de 800 millions de personnes. Au cours du XXe siècle, l'agriculture, notamment dans les pays riches, a fortement augmenté ses rendements, ce qui a permis de nourrir une humanité qui est passée en cent ans de 1,5 à 6 milliards d'individus. Cette situation a été rendue possible par l'augmentation des surfaces agricoles (pays neufs), par les révolutions agricoles : sélection des espèces, engrais, pesticides, mécanisation, irrigation et, en Europe notamment, par la mise en œuvre de la politique agricole commune (PAC). De 1920 à 1980, le rendement de référence du blé d'hiver est passé de 12,5 quintaux/ha à plus de 65 quintaux/ha, ce qui souligne l'efficacité du modèle agricole intensif. L'Inde ou la Chine, qui souffraient autrefois de famines récurrentes, peuvent désormais nourrir leur population grâce à la « révolution verte ». Celle-ci a démarré en Inde dans les années 1960 et touché nombre de régions en développement : elle consiste à appliquer dans ces pays le même modèle d'agriculture productiviste que dans les pays développés. Elle privilégie les variétés à haut rendement, l'usage d'engrais azotés, de produits phytosanitaires et l'extension de l'irrigation.

En dépit de cette évolution, 800 millions de personnes étaient en état de sous-alimentation chronique au début des années 2000, selon la Food and Agriculture Organization of the United Nations (FAO) *(voir p. 125, La sous-alimentation dans le monde entre 2001 et 2003)*. Ce chiffre témoigne d'une forte régression au cours du XXe siècle du nombre de sous-alimentés ; ainsi, en 1950, ils étaient environ 1,5 milliard sur une population de 2,5 milliards. Après une phase de régression, on assiste cependant à nouveau à une augmentation du nombre de sous-alimentés. En 2009, ils seraient un milliard sur 6,5 milliards d'individus. Il faut leur adjoindre 2 milliards de personnes en état de malnutrition, autrement dit dont les régimes alimentaires sont mal équilibrés, souvent caractérisés par un manque de protéines. En Asie, une personne sur trois souffrait de malnutrition il y a trente ans, contre une sur cinq aujourd'hui. En Afrique subsaharienne, 40 % de la population souffre encore de malnutrition.

La sous-nutrition et généralement la malnutrition sont d'abord filles de la pauvreté, comme le souligne Amartya Sen. Sylvie Brunel (2008) rappelle aussi que ceux qui souffrent de sous-nutrition n'ont pas d'argent pour se procurer de la nourriture, même si celle-ci est disponible. L'individu sous-alimenté ne peut effectuer les activités qu'il souhaiterait et qui sont nécessaires à sa vie. La sous-alimentation est d'abord la conséquence du sous-développement. Elle rend les populations plus fragiles face aux maladies et touche fortement les enfants.

Aujourd'hui, les populations sous-alimentées sont des ruraux pour l'essentiel, qui dépendent de leur propre production pour se nourrir. Ils vivent au jour le jour et sont à la merci d'une saison trop fraîche ou trop sèche... Un quart des sous-alimentés vit en ville et ne dispose que de sa force de travail pour se nourrir. Si le prix de la nourriture augmente en raison d'une crise économique, si le travail manque ou si la solidarité familiale fait défaut, la faim gagne du terrain. Ceux qui ont faim sont trop pauvres pour acheter de la nourriture, c'est la situation de l'Inde où 200 millions de sous-alimentés cohabitent avec 35 millions de tonnes de céréales.
En 2008, les cours mondiaux des principaux grains ont triplé ; ainsi, le riz thaïlandais est passé de 300 à 1 000 dollars la tonne entre début 2006 et avril 2008. Cette situation est fort préjudiciable à l'Afrique subsaharienne qui achète 20 % des importations mondiales de riz – riz qui pourrait très largement être produit en Afrique si des politiques agricoles incitatives y étaient développées. Cette situation a provoqué au printemps 2008 des émeutes de la faim qui étaient en fait des émeutes de la pauvreté (S. Brunel).

Les causes de la sous-nutrition sont donc d'abord économiques, sociales et politiques. Même avec une production agricole plus importante, de nombreuses populations ne satisferaient pas leurs besoins alimentaires pour des raisons de pauvreté *(voir p. 102, Leçon 6)*. Les problèmes alimentaires dans les zones rurales montrent qu'aucune réduction durable de la faim n'est possible sans inves-

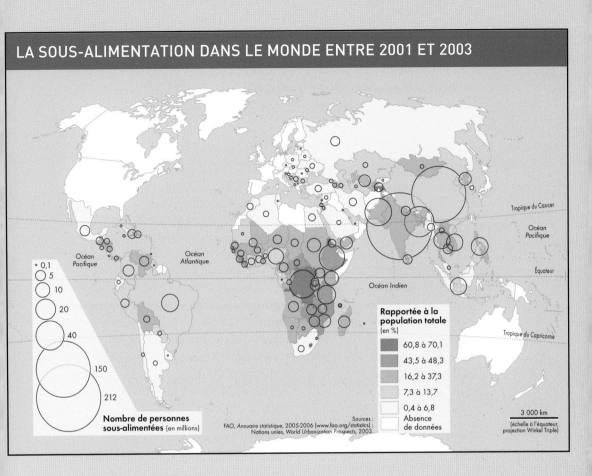

La population sous-alimentée de la planète (moins de 2 500 Kcalories par jour) se situe dans les pays en développement. 215 millions de personnes (20 % de la population totale) sont sous-alimentés en Inde, 200 millions en Afrique subsaharienne, 135 millions en Chine, 50 millions en Amérique latine, 40 millions au Moyen-Orient et au Maghreb. Si les pays riches disposent de rations importantes, une partie de leur population souffre aussi de sous-nutrition. Les trois quarts des populations sous-alimentées dans les pays en développement sont des paysans.

tissements conséquents dans le développement rural et agricole, et sans une vraie volonté politique et une éducation adaptée.

SOUS-NUTRITION ET FAMINES

« Les famines sont aujourd'hui le produit de la géopolitique, la malnutrition celui du "sous-développement", et notamment des inégalités d'accès à la nourriture dans les sociétés du "Sud". Malnutrition et famine ne concernent pas les mêmes victimes, n'ont pas la même durée (chronique/aiguë) et ne relèvent pas des mêmes solutions (des solutions techniques relativement simples pour la malnutrition, la mise en place de véritables police et justice internationales pour la famine) » (S. Brunel, 2008).
D'un autre côté, on compte un milliard d'hommes (dont nous faisons partie) en situation de suralimentation, surtout dans les pays du Nord, mais aussi, et de plus en plus, dans les pays émergents.

AUX XXᵉ ET XXIᵉ SIÈCLES, LA DEMANDE ALIMENTAIRE AUGMENTE

La demande alimentaire a fortement augmenté au cours du XXᵉ siècle. Cela résulte de l'augmentation de la population mondiale. S'y ajoute l'augmentation du niveau de vie d'une partie de la population mondiale, qui consomme ainsi davantage, d'abord de produits végétaux, puis de produits animaux. On définit ce processus comme une « transition alimentaire » ou nutritionnelle qui se manifeste quand le revenu atteint et dépasse 1 300 dollars par an.

Pour produire ces protéines, les élevages de volailles et de porcs se sont multipliés. Or, pour produire rapidement 1 kg de poulet bas de gamme dans un élevage performant, il faut 2 kg d'aliments : blé, maïs, tourteaux oléagineux (soja). Le rendement est moindre s'agissant des porcins qui nécessitent 3 à 4 kg d'aliments pour produire 1 kg de viande (J.-P. Charvet, 2008).

Ainsi, entre 1994 à 2004, les Chinois ont, d'après la Banque mondiale, augmenté de 4 % par an leur consommation de porc et de 7 % par an celle de poulet. Un Chinois moyen consomme aujourd'hui 45 kg de viande par an, soit dix fois plus qu'au début des années 1960.

C'est un facteur d'accroissement considérable de la demande de grains. Ainsi, la Chine est devenue le premier importateur de soja (35 millions de tonnes) devant l'Europe. En additionnant céréales et graines oléagineuses, la Chine est désormais le 1ᵉʳ importateur mondial de grains.

La demande accrue de produits agricoles serait à l'origine de la déstabilisation récente des marchés agricoles. La Chine et l'Inde (38 % de la population mondiale,

15 % des importations mondiales), à la fois producteurs et consommateurs, seraient à l'origine de ces mouvements erratiques de prix.

L'urbanisation est un autre facteur de croissance de la demande alimentaire. Jean-Paul Charvet rappelle qu'en Chine les revenus agricoles restent faibles. Un agriculteur du Guizhou – province montagneuse du sud de la Chine où les minorités ethniques demeurent largement représentées – a un revenu d'environ 100 à 120 euros par an. C'est pourquoi les jeunes partent vers Hong-Kong ou le delta de la rivière des Perles, où ils gagnent en un mois ce que leurs parents obtiennent en un an. Leurs habitudes alimentaires changent. L'urbanisation joue sur la demande car le niveau de vie des citadins est en moyenne trois à quatre fois supérieur à celui des ruraux dans les pays émergents.

QUELLES ÉVOLUTIONS DE LA PRODUCTION AGRICOLE AU XXIe SIÈCLE ?

La FAO considère que la production céréalière devrait augmenter d'ici à 2030 de un milliard de tonnes pour satisfaire une demande croissante. Comment parvenir à cela ? en augmentant la surface cultivable ? en augmentant les rendements (intensification) ? ou en combinant les deux aspects ? Le chiffre de 1 400 millions d'hectares de terres arables (ou terres travaillées) à l'échelle planétaire a peu varié en vingt-cinq ans, pourtant, selon la FAO, plus de 700 millions d'hectares pourraient être encore exploités, à quoi il faut ajouter l'utilisation des jachères en Europe et aux États-Unis. L'autre solution consiste à intensifier les rendements en augmentant les intrants (engrais, phytosanitaires) et en développant les surfaces irriguées, ce qui pose la question des conséquences environnementales de l'agriculture productiviste : érosion des sols, voire désertification dans les régions semi-arides, pollution des sols et des eaux… En outre, dans certaines régions où l'eau est rare, la question de l'irrigation reste posée. Pourtant, pour satisfaire la demande, il faudra bien concilier production, respect de l'environnement et gestion durable des ressources naturelles.

Le développement de l'agriculture « offshore » apporte-t-il des solutions ? Soit pour assurer leurs besoins alimentaires, soit pour développer des cultures à d'autres fins (par exemple, biocarburants), certains pays développent une production agricole hors de chez eux. C'est aussi le cas d'entreprises privées qui se sont installées en Ukraine, la firme suédoise Black Earth Company a acheté 300 000 hectares, et la société anglaise Landkom 200 000 hectares. La Chine loue des terres en Afrique (au Mozambique), en Asie (aux Philippines, pays importateur de riz), en Australie dans le Queensland, au Kazakhstan… Les pays du golfe Persique, inquiets de la hausse du prix du riz, principale source alimentaire de leur main-d'œuvre immigrée, essaient d'acheter ou de louer des terres en Asie ou en Afrique. Au Soudan, où le Programme alimentaire mondial envoie de la nourriture aux populations du Darfour, l'État loue des terres à l'Arabie Saoudite qui exporte chez elle toute la production réalisée. La Corée du Sud achète des terres en Sibérie orientale, en Mongolie !

Les entreprises privées profitent ainsi du bas prix des terres dans certains pays et du prix en hausse des productions pour spéculer sur la valeur du foncier. Mais si le prix des terres augmente, les petits paysans seront exclus et vont devenir des « sans-terre ». Ce pourrait être le cas au Pakistan où les agriculteurs de nombreux villages risquent d'être « déplacés » si le gouvernement pakistanais accepte – en contrepartie de substantiels avantages financiers – la proposition des Qataris d'externaliser une partie de leur production alimentaire. L'Inde elle-même investit en Birmanie afin d'y développer la production de lentilles. Dans de telles conditions, le nombre d'agriculteurs pauvres et mal nourris risque de s'accroître. En outre, la question se pose de savoir si ces vastes espaces agricoles seront dévolus à la production de graines ou autres végétaux destinés à l'alimentation des hommes, à celle des animaux ou à la production d'agrocarburants (J.-P. Charvet, 2008).

L'avenir est-il à l'agriculture biologique ? Elle ne représente que 1 % des surfaces agricoles planétaires et affiche des rendements de 30 à 40 % inférieurs à l'agriculture traditionnelle. Il est difficile d'étendre à l'échelle mondiale des expériences réussies, mais ponctuelles et géographiquement limitées. L'agriculture « bio », même généralisée, ne pourrait certainement pas nourrir la planète en l'état actuel de ses rendements.

Les organismes génétiquement modifiés (OGM) et les biotechnologies sont d'autres pistes. La surface cultivée en OGM représente en 2008 125 millions d'hectares, surtout répartis dans les deux Amériques, en Chine et en Inde, mais les inquiétudes qui accompagnent ce type de culture rendent difficile sa généralisation. Les effets environnementaux des cultures OGM posent encore problème, comme d'ailleurs la place de quelques firmes dans leur distribution. Néanmoins, l'agriculture de demain aura beaucoup de difficultés à se passer des biotechnologies, y compris pour mieux gérer l'environnement. Il ne fait aucun doute qu'il faut développer les biotechnologies : elles permettent en effet d'améliorer les variétés, d'augmenter les rendements, de développer certaines caractéristiques telles que la résistance à la sécheresse, mais elles doivent aussi participer à un projet d'agriculture viable pour les générations futures.

La révolution doublement verte est indispensable, mais difficile à mettre en œuvre. Il s'agit de développer à la fois une agriculture productrice et une agriculture protectrice de l'environnement. Cette « révolution doublement verte » combine les apports de la recherche agronomique et de l'agro-écologie pour non seulement obtenir des rendements agricoles élevés, mais également assurer leur pérennité. Elle implique un changement politique radical, une redistribution des terres, la fourniture de crédits et de services agricoles, la stabilisation des prix...

Nourrir la planète, rappelle Michel Griffon (2006), «c'est d'abord mettre l'équité au cœur des politiques publiques».

Une nouvelle politique d'aide alimentaire ne doit-elle pas être prévue pour aider les populations en difficulté? En 2008, 36 pays avaient besoin d'une aide extérieure, en raison des déficits exceptionnels des quantités de denrées produites et disponibles, d'un manque d'accès généralisé à la nourriture ou d'une insécurité alimentaire grave: 21 pays étaient localisés en Afrique, 10 en Asie et au Proche-Orient, 4 en Amérique latine et un en Europe. Or les volumes d'aide alimentaire pour 2007-2008 sont tombés à leur niveau le plus bas depuis le début des années 1970. Si l'aide alimentaire est une composante essentielle des secours d'urgence, elle ne saurait être la base d'une stratégie durable de sécurité alimentaire.

La concurrence entre les cultures vivrières et les cultures pour la production d'énergie (éthanol, Diester) est aujourd'hui discutée. L'exemple du Brésil traité plus loin *(voir p. 131)* permet d'envisager cette question.

NOURRIR LES HOMMES : CONCILIER PRODUIRE ET PROTÉGER

Pour être durable et pouvoir contribuer à une production suffisante, l'agriculture ne doit pas conduire à une dégradation des sols et de l'eau disponibles.

- - - - - - - -

QU'EST-CE QU'UN SOL ?

Pellicule meuble, pellicule de surface, le sol, produit de l'altération des roches et de l'action du couvert végétal, est composé de plusieurs horizons, dont celui de surface, riche en humus. Avec une épaisseur variant de quelques centimètres à quelques mètres, le sol est indispensable à la croissance des végétaux ; il est aussi un des maillons du cycle de l'eau. Le sol a toujours évolué sous l'effet des processus d'érosion qui sont naturels (ruissellement, rôle du vent). Cependant, des crises érosives d'origine anthropique peuvent contribuer à l'amincir, à l'appauvrir, voire à le détruire.

Le sol est une «ressource» renouvelable, mais sur une durée de temps qui dépasse largement une ou plusieurs générations humaines. Les sols que nous observons en Europe ont nécessité environ un demi-millénaire ou davantage pour se constituer.

- - - - - - - -

L'érosion «anthropique» des sols, nommée aussi «érosion accélérée», n'est pas une question nouvelle. La colonisation grecque en Italie du Sud aux VIIIe et VIIe siècles avant notre ère a déclenché une érosion accélérée particulièrement active. Plus près de nous, dans les années 1930, le *dust bowl* a affecté les Grandes Plaines américaines. Aujourd'hui, de nombreux sols sont menacés d'érosion accélérée à la surface des continents. En région semi-aride (Sahel, Australie), des sols très érodés ne peuvent plus être mis en culture. On se situe là dans des espaces touchés par la désertification. L'érosion accélérée des sols a touché l'Europe lors de la mise en œuvre de la PAC. Le passage, à des fins d'intensification, à des grandes parcelles, la disparition des haies, l'usage de la mécanisation, les changements dans les types de culture et le développement des cultures de printemps qui laissent le sol à nu une grande partie de l'année ont entraîné une aggravation de l'érosion hydrique (ruissellement) qui a contribué à appauvrir les sols en emportant des éléments utiles (humus…). L'érosion accélérée affecte de nombreuses terres cultivées sur la planète, mais des modifications dans les modes de culture, la limitation du surpâturage peuvent freiner ces processus. Il n'en est pas de même dans les espaces désertifiés situés dans les régions semi-arides.

La désertification décrit la dégradation des sols dans les régions arides et semi-arides (Sahel, Nordeste brésilien, Australie). On entend par dégradation ou destruction une situation où le sol détruit ne pourra être à nouveau utilisé qu'après un temps plus ou moins long (au moins une génération et parfois beaucoup plus).

La salinisation se produit dans les zones irriguées, généralement lorsque le drainage est inadéquat. Les sels contenus dans les sols se concentrent dans les couches supérieures du sol où les plantes prennent racine. La salinisation est particulièrement fréquente dans les zones arides et semi-arides, où 10 à 50 % des superficies irriguées peuvent être soumises à ce processus. La salinisation peut provoquer des baisses de rendement de 10 à 25 % pour beaucoup de récoltes et peut empêcher totalement la culture lorsqu'elle est sévère. On estime que 3 % des terres agricoles mondiales sont concernées, la salinisation atteint 6 % des terres en Asie orientale et 8 % en Asie du Sud.

La perte en éléments nutritifs pose aussi un sérieux problème. L'azote, le phosphore et le potassium (NPK) sont extraits du sol avec les récoltes et perdus par lessivage lors des pluies. Ces pertes varient fortement avec les types de cultures, avec la nature des sols ; elles nécessitent d'apporter des fertilisants. Les petits cultivateurs des pays en développement n'ont pas toujours les moyens de le faire. Ailleurs, dans les régions de grande culture intensive, les fertilisants utilisés souvent à l'excès ont des effets négatifs (notamment pollution par les nitrates ou par des phytosanitaires affectant les sols, les eaux).
Une prise de conscience commence à naître : l'agriculture biologique gagne du terrain, même modestement ; la PAC prend en compte les aspects environnementaux (réduction du gaspillage de l'eau, de l'usage des engrais et des phytosanitaires).

SÉCURITÉ ALIMENTAIRE ET DÉVELOPPEMENT DURABLE : LE BRÉSIL, LA FERME DU MONDE ?

« Quand le Brésil deviendra la ferme du monde », ainsi titrait un article du quotidien *Le Monde* (24 mai 2005) qui se concluait en ces termes : « Le Brésil peut-il prétendre devenir la *ferme du monde* et assurer en même temps trois repas par jour aux millions de Brésiliens qui ne mangent pas à leur faim, comme l'a promis le président Lula en lançant le programme *Faim zéro ?* »

Cette question souligne d'emblée un des paradoxes du Brésil : un grand pays agricole et des millions de sous-alimentés. À l'heure où l'on s'interroge sur la sécurité alimentaire de la planète, quelle est la situation du Brésil ? Quels sont les atouts de ce pays face au nouveau défi alimentaire ? À l'aune des nouvelles exigences du développement durable, y a-t-il des limites à cette approche optimiste ?

UNE PUISSANCE AGRICOLE

Grâce à son étalement en latitude (5°14'N/33°40'S) et en longitude, des contreforts andins (73°52'O) à l'océan Atlantique (34°48'O), le Brésil possède une diversité de climats : du tropical au tempéré en passant par le subtropical. Cette palette climatique favorise toute une gamme de cultures et d'élevages qui lui permet de se situer dans les tout premiers rangs mondiaux.

Rapport mondial des productions agricoles brésiliennes

1er	café, canne à sucre, orange, haricot, maté, papaye
2e	viande de bœuf, viande de poulet, soja, banane, manioc, tabac
3e	maïs, noix de cajou, ricin, poivre, mandarine
4e	viande de porc, noix de coco, cocons de soie, ananas
5e	fèves de cacao, avocat, citron
6e	jute
7e	lait, œufs
8e	mangues
9e	riz
10	caoutchouc, figues, oignons, sorgho

Source : FAOSTAT 2008, données 2005. Extrait de H. Théry, in *Nourrir les hommes*, Paris, Sedes, 2008.

Ce palmarès révèle le poids du Brésil dans le domaine agricole. C'est un grand pays producteur de denrées agricoles destinées au marché national, mais aussi international. Il est ainsi le premier exportateur de café, de sucre, de jus d'orange, de tourteaux de soja, de viandes de bœuf, de porc, de volailles… Au total, en une dizaine d'années, il s'est hissé, pour les exportations agricoles, au troisième rang mondial derrière les États-Unis et l'Union européenne. L'agriculture d'exportation est essentielle car pourvoyeuse de devises pour l'État. En outre, le Brésil est le plus grand producteur et exportateur mondial d'éthanol. Ces performances n'ont pas manqué d'attirer les regards sur ce pays et permis ce pronostic flatteur de « ferme du monde ». Cette révolution n'a été possible que grâce à un puissant complexe agro-industriel décrit par Hervé Théry. Ce spécialiste de la géographie du Brésil a maintes fois mis l'accent sur le caractère dual de l'agriculture brésilienne qui juxtapose deux systèmes agricoles très différents.

L'agriculture familiale fournit 70 % de l'alimentation des Brésiliens : 85 % du manioc, 70 % des haricots, 60 % des porcs, la moitié du maïs et du lait, 40 % des volailles et des œufs, 30 % du riz. Elle se développe sur de petites et moyennes exploitations concentrées dans le Nordeste, en haute Amazonie et dans les régions pauvres des États du Sud. Elle représentait 75 % des propriétés agricoles du pays, 25 % des terres cultivées et 35 % de la production agricole nationale en 2005 (H. Théry, 2008). Ce secteur qui assure les principales bases alimentaires de la population reçoit peu d'aides, mais est capable de nourrir les 200 millions de Brésiliens. Pourtant, selon une recherche de l'Institut brésilien de géographie et de statistiques (IBGE) réalisée en 2004, seulement 65 % des familles brésiliennes étudiées (soit 109 millions d'habitants) bénéficiaient d'une sécurité alimentaire. 35 %, soit 72 millions de personnes, souffraient d'une insécurité alimentaire, qualifiée de légère (16 %), ou de modérée (12,3 %), ou encore d'aiguë pour 6,5 % d'entre elles (E. W. Dantas, in *Hérodote*, 2008). On voit bien que l'accès à l'alimentation au Brésil ne serait pas directement lié à la question des disponibilités, mais au problème du pouvoir d'achat.

L'agrobusiness, qui produit essentiellement pour l'exportation (canne à sucre, oranges, café et soja, élevage bovin et avicole…), est installé sur de grandes exploitations de plus de 100 hectares et bien souvent de plusieurs milliers d'hectares avec quelques grandes spécialisations locales et régionales. La canne à sucre qui a été, pendant des siècles, le quasi-monopole du Nordeste, s'est développée, à partir les années 1970, dans l'État de São Paulo, où cette culture sert pour la production de l'alcool combustible. Le café, autrefois, produit principalement dans l'État de São Paulo et le nord du Paraná, a désormais son centre de gravité dans le sud du Minas Gerais et des pôles secondaires dans l'Espírito Santo, le Rondônia et Bahia ; le soja, naguère cultivé dans le Sud, vient désormais principalement du Mato Grosso où il progresse rapidement vers le nord. Les oranges sont présentes presque partout, pour la consommation locale, mais grâce aux deux concentrations spécialisées de Bahia et de São Paulo, le Brésil produit 80 % du concentré de jus d'orange commercialisé dans le monde.

L'élevage bovin est pratiqué dans les régions de savanes arborées (les *cerrados*) au centre du pays et de savanes herbeuses (les *campos*) dans le nord de l'Amazonie *(voir p. 134, Le Brésil et ses régions)*.

L'agriculture commerciale est très compétitive car elle bénéficie de nombreux avantages : main-d'œuvre au coût peu élevé, faible prix et disponibilité des terres, progrès scientifiques et techniques, investissements massifs, recherche agronomique publique de grande qualité. En raison de sa place dans l'économie du Brésil (en 2006, 15 % des exportations, 26 % si on ajoute aux produits bruts ou semi-transformés les produits industriels qui en sont directement issus), elle jouit de tous les égards du gouvernement qui œuvre au sein de l'OMC pour la libéralisation des échanges agricoles et la fin des subventions que pratiquent l'Union européenne et les États-Unis pour protéger leurs producteurs.

LES ATOUTS DU BRÉSIL DANS LA COMPÉTITION MONDIALE

· · · · · · · · · · · · · · · · ·

Si le Brésil est déjà un très grand pays agricole, il reste un pays dont l'agriculture est en constante mutation, soit dans un mouvement continu d'expansion pionnière, soit par la réorganisation des systèmes de cultures des régions mises en valeur depuis longtemps. Deux exemples peuvent illustrer ces aspects : la progression de la culture du soja et les transformations agricoles du Nordeste *(voir p. 135, Bovins, soja et déforestation au Brésil)*.

La culture du soja, commencée dans les années 1960, était cantonnée dans le sud du pays. Elle s'est développée à partir des années 1970 par la mise en culture des *cerrados* du Mato Grosso, du Goiás et de l'ouest de Bahia. Aujourd'hui, le soja progresse aux dépens de la forêt amazonienne, généralement par le rachat de terres déjà défrichées par les éleveurs : ceux-ci vont alors un peu plus loin défricher de nouvelles portions de forêt. Ces déplacements qui se font sur des centaines de kilomètres selon un modèle extensif préoccupent beaucoup les militants de l'environnement, au Brésil et à l'étranger.

Le Nordeste brésilien est caractéristique des régions du Brésil qui ont modifié leur offre d'exportation pour profiter du marché international : sa grande spécialité est la canne à sucre. Grâce à l'irrigation et à la création de pôles de développement intégrés, il est devenu une grande région de productions d'aliments (grains et fruits tropicaux) : soja, maïs, riz, haricots, mais aussi bananes, mangues, melons, raisin, goyaves, pastèques, fruits de la passion, papayes, citrons... Ces deux exemples montrent la grande mobilité de l'agriculture brésilienne et la réactivité de ses producteurs à la demande mondiale.

Le Brésil dispose d'une vaste gamme de possibilités grâce à sa diversité climatique et à sa réserve foncière. On peut donc s'interroger sur les limites de cette conquête : jusqu'où peut-elle aller, combien de millions d'hectares le Brésil peut-il encore concéder à l'agriculture et à l'élevage ? Selon H. Théry, ces deux activités n'occuperaient en moyenne que 41 % du territoire national (dont 7 % sont effectivement cultivés), moyenne qui n'a pas beaucoup

LE BRÉSIL ET SES RÉGIONS

Légende:
- Capitale fédérale
- District fédéral
- Capitale d'État
- Limite d'État
- Limite de région

Régions
- Nord
- Nordeste
- Centre-Ouest
- Sudeste
- Sud

VENEZUELA
COLOMBIE
GUYANA
SURINAM
Guyane française
Boa Vista
RORAIMA
AMAPÁ
Macapá
Équateur
Belém
São Luis
Manaus
AMAZONAS
PARÁ
MARANHÃO
Fortaleza
RIO GRANDE DO NORTE
CEARÁ
Teresina
Natal
PIAUÍ
PARAÍBA
João Pessoa
PERNAMBUCO
Recife
ALAGOAS
Maceió
SERGIPE
Aracaju
ACRE
Rio Branco
Porto Velho
RONDÔNIA
Palmas
TOCANTINS
BAHIA
PÉROU
MATO GROSSO
Salvador
BOLIVIE
Cuiabá
GOIÁS
BRASÍLIA
Goiânia
Océan Atlantique
MINAS GERAIS
Campo Grande
Belo Horizonte
ESPÍRITO SANTO
Vitória
MATO GROSSO DO SUL
SÃO PAULO
RIO DE JANEIRO
Tropique du Capricorne
PARAGUAY
Rio de Janeiro
São Paulo
PARANÁ
Curitiba
SANTA CATARINA
Florianópolis
ARGENTINE
RIO GRANDE DO SUL
Porto Alegre
30°
URUGUAY
500 km

BRÉSIL
AMÉRIQUE DU SUD
Océan Atlantique

60°   45°

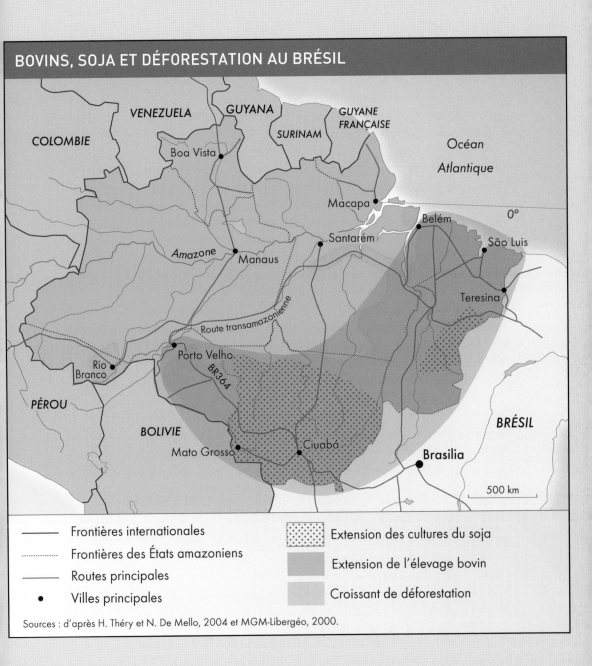

BOVINS, SOJA ET DÉFORESTATION AU BRÉSIL

COLOMBIE

VENEZUELA

GUYANA

SURINAM

GUYANE FRANÇAISE

Boa Vista

Océan Atlantique

Macapa

Belém

0°

São Luis

Amazone

Manaus

Santarém

Teresina

Route transamazonienne

Porto Velho

BR364

Rio Branco

PÉROU

BOLIVIE

Mato Grosso

Ciuabá

Brasilia

BRÉSIL

500 km

——— Frontières internationales

············· Frontières des États amazoniens

——— Routes principales

• Villes principales

Extension des cultures du soja

Extension de l'élevage bovin

Croissant de déforestation

Sources : d'après H. Théry et N. De Mello, 2004 et MGM-Libergéo, 2000.

de sens car elle recouvre des situations très différentes : « En dehors du littoral nordestin et des régions d'agriculture intensive du Sud-Sudeste, la mise en valeur agricole n'atteint nulle part 12 % du territoire de chaque commune et elle tombe en dessous de 1,5 % dans toute l'Amazonie. Certes, tout le territoire n'est pas disponible pour l'agriculture et des aménagements coûteux seraient nécessaires pour l'ouvrir tout entier (à supposer que ce soit souhaitable) mais aucune partie du territoire brésilien n'est inutilisable pour l'agriculture au Brésil. Le pays pourrait disposer de terres agricoles en grande quantité et à court terme, même en respectant les réserves déjà constituées pour la protection de l'environnement (parcs, réserves biologiques, forêts nationales) ou pour les populations autochtones (réserves indiennes, réserves de cueillette). » Roberto Rodrigues, ancien ministre de l'Agriculture, faisait le constat suivant : « En tenant compte des réserves existantes et de la forêt amazonienne telle qu'elle est aujourd'hui, sans défrichements supplémentaires et sans conversion des pâturages, 106 millions d'hectares sont disponibles, soit plus de trois fois la SAU [surface agricole utile] française. Il existe une marge importante de progression à partir des pâturages occupés de façon extensive. » Le Brésil dispose donc de possibilités d'accroissement de sa production agricole à la fois horizontales (conquêtes de terres) et verticales (augmentation des rendements). Tous ces avantages donnent à penser que le Brésil peut contribuer à « nourrir la planète » dans l'avenir, mais bien des points font débat sur la question des usages de la terre, de la concurrence entre cultures d'exportation et cultures vivrières (coût environnemental et social), qui peut faire obstacle à une production illimitée.

DES QUESTIONS EN DÉBAT

En raison des disponibilités en terre, du Brésil, la question sur les différents usages de la terre pourrait surprendre. En fait, elle est liée à la place qu'occupe le Brésil au sein de la communauté internationale dans les débats sur la production des agrocarburants et la préservation de la biodiversité.

Le Brésil joue la carte des biocarburants depuis quelques années, non seulement en développant la culture de la canne à sucre (programme éthanol), mais aussi en poursuivant des recherches sur le biodiesel à partir d'huile de soja, de ricin, de palme...

Sur les 75 millions d'hectares en culture (recensement agricole de 2006), la canne à sucre occupait une superficie de 5,6 millions d'hectares, en troisième position derrière le soja (22 millions d'hectares) et le maïs (12 millions d'hectares). En 2008, les superficies plantées en canne à sucre seraient passées à 8,6 millions d'hectares. Dans ce pays qui détient encore plus de 100 millions d'hectares non cadastrés, on ne peut pas dire que les cultures énergétiques entrent en concurrence avec les cultures vivrières ou d'exportation. Dans l'État de São Paulo, les champs de canne s'étendent aux dépens de pâturages peu productifs (Martine Droulers, in L'Information géographique, 2009). Pour les adversaires de ces productions, la limite la plus forte à l'expansion des biocarburants au Brésil serait le risque de détournement des cultures alimentaires que représenterait une forte demande de biocarburants. Mais les responsables brésiliens de l'agriculture défendent une autre position en considérant que le Brésil pourrait investir dans les biocarburants sans mettre en cause la production d'aliments. L'expansion rapide de la canne à sucre pose deux questions : la première, environnementale, liée aux pollutions diverses issues de la culture et du traitement de la canne à sucre ; la seconde, sociale, engendrée par les conditions de travail des coupeurs de canne. Cultures et usines sucrières sont réputées polluantes : dangers de la monoculture qui appauvrit les sols et multiplie les risques de maladies, usage d'herbicides, brûlis des pailles sèches avant la récolte, rejets de la vinasse (sous-produits de la canne). Tous ces éléments aggraveraient les pollutions des sols, de l'air et des eaux. S'y ajoutent les critiques qui portent sur les conditions de travail des coupeurs de canne, travailleurs journaliers venant souvent du Nordeste et migrant d'une zone de production à l'autre. Ces deux problèmes ont été bien relayés à l'étranger, surtout depuis que le Brésil a fait condamner l'Union européenne pour ses subventions à ses producteurs de sucre. Ils sont en voie de solution dans l'État de São Paulo, le principal producteur brésilien, par la mise en place d'une législation environnementale et le déploiement plus rapide que prévu des machines qui coupent la canne sans avoir à brûler les pailles. Le remplacement d'une centaine de coupeurs par machine pose cependant un autre problème social : la perte par les travailleurs de leur principale source de revenus.

Le Brésil est aussi au cœur de la problématique sur la déforestation en Amazonie, perçue au niveau international comme une menace, voire un danger écologique et climatique aux répercussions planétaires. Sans reprendre ici la question des enjeux environnementaux de la forêt amazonienne dans le débat international, rappelons que, sur d'immenses étendues, la forêt est défrichée de manière radicale et définitive pour céder la place à de grandes exploitations (fazendas). La déforestation a un coût environnemental (réduction de la biodiversité, modification des cycles) et social (augmentation des inégalités foncières et des combats pour la terre, déstructuration sociale des populations vivant au sein de la forêt amazonienne).

Ces problèmes ont mis le Brésil sous les feux des projecteurs des protecteurs de l'environnement à partir des années 1980 et ont abouti à la constitution d'organismes chargés de la politique de gestion de l'environnement et à la création d'aires protégées de diverses catégories : usage durable, protection intégrale, terres indigènes (voir p. 138, Les aires protégées au Brésil). Avec plus de 1,6 million de kilomètres carrés, les territoires indigènes et les aires protégées constituent au total 34 % de la surface de l'Amazonie brésilienne. Leur contrôle, leur surveillance et leur gestion sont difficiles à assurer et se révèlent souvent inopérants. Toutefois, ces aires protégées soulignent la volonté des autorités de protéger la forêt, même si l'attitude du gouvernement est considé-

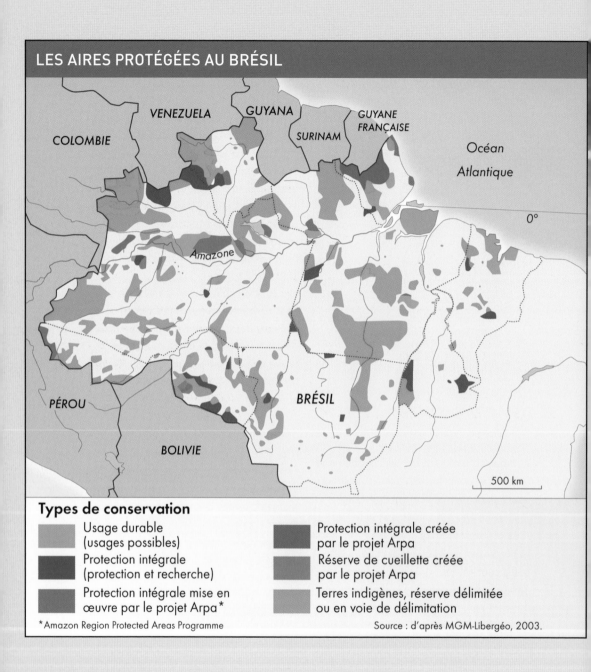

LES AIRES PROTÉGÉES AU BRÉSIL

COLOMBIE

VENEZUELA

GUYANA

SURINAM

GUYANE FRANÇAISE

Océan

Atlantique

0°

Amazone

PÉROU

BRÉSIL

BOLIVIE

500 km

Types de conservation

Usage durable
(usages possibles)

Protection intégrale
(protection et recherche)

Protection intégrale mise en
œuvre par le projet Arpa*

Protection intégrale créée
par le projet Arpa

Réserve de cueillette créée
par le projet Arpa

Terres indigènes, réserve délimitée
ou en voie de délimitation

*Amazon Region Protected Areas Programme

Source : d'après MGM-Libergéo, 2003.

rée comme ambiguë car, tout en prônant la protection de la forêt, il soutient l'agro-business dans sa volonté de conquête des terres.

Les tensions sociales tiennent aux fortes disparités dans tous les domaines : taille des exploitations, valeur de leur production, spécialisations des productions. Des conflits existent partout à cause de la situation agraire : on estime que 1 % des plus riches possèdent 45 % des surfaces exploitées ; les meilleures terres sont accaparées par des propriétaires absentéistes à côté de paysans sans terre ou avec peu de terres. La concentration des terres se fait aux dépens des petites exploitations (moins de 100 ha). Se pose la question de la place qu'occupent les exploitations familiales, qui produisent l'essentiel de l'alimentation de base, dans la politique du gouvernement. Celles-ci attendent de la part des pouvoirs publics des aides à l'investissement plus élevées.

EN CONCLUSION

Le Brésil a le privilège de posséder de vastes espaces disponibles. L'agriculture commerciale et l'élevage occupent une place importante dans son économie, ils sont générateurs de devises et d'aliments bon marché. Mais trop privilégier l'agro-business pourrait fragiliser le système agricole et compromettre la sécurité alimentaire du pays. À propos de la capacité du Brésil à nourrir le monde, Sylvie Brunel rappelle qu'« il n'appartient à aucun continent de nourrir le monde, quand bien même il le pourrait techniquement : la nourriture ne se répartit pas selon le principe des vases communicants, mais en fonction du pouvoir d'achat. Même lorsqu'elle existe, certains n'y ont pas accès » (in *Hérodote*, 2008). La situation alimentaire du Brésil est en cela démonstrative.

08

IDÉES REÇUES, PIÈGES À ÉVITER

→ La nature est seule responsable du manque d'eau
    dans certains pays.

→ L'humanité ne disposera pas de suffisamment d'eau
    dans les années à venir.

→ L'eau est une ressource inépuisable.

→ Les barrages, sources de tous les maux.

GÉRER L'EAU POUR UN DÉVELOPPEMENT DURABLE

L'eau douce est une ressource largement renouvelable. Ses usages et sa gestion sont des composantes majeures du développement durable. Il s'agit de gérer l'eau au mieux pour tous les hommes de la planète aujourd'hui et pour les générations futures. L'eau couvre 72 % de notre Terre, 97,5 % de cette eau est salée, les 2,5 % restants sont de l'eau douce. Mais cette eau douce n'est pas forcément utilisable : 70 % se présente sous forme de glace, près de 30 % proviennent de nappes souterraines plus ou moins accessibles. Fleuves et rivières ne constituent que 0,005 % du stock total d'eau douce. Sur la quantité d'eau douce renouvelable, soit 33 500 à 47 000 km^3 par an, les sociétés consomment environ 3 600 km^3 par an. Ces données semblent indiquer que l'humanité ne devrait pas manquer d'eau, y compris si la demande continue à croître. Or celle-ci a crû de 2 % par an entre 1960 et 2000 et continue à progresser. Au cours du XXe siècle, la consommation d'eau a été multipliée par six !

• Les ressources en eau sont-elles aujourd'hui suffisantes pour approvisionner plus de 6 milliards d'hommes ?

• Qu'en sera-t-il demain si la population est plus nombreuse ?

• Quelles solutions pour mieux gérer la ressource et assurer sa durabilité ?

LA RESSOURCE ET LES INÉGALITÉS D'ACCÈS À L'EAU

Envisager la ressource en eau nécessite de comprendre l'importance non seulement des précipitations, mais aussi de la température qui explique le rôle de l'évaporation. La nature des sols, des roches et le relief (la pente) expliquent les endroits où l'eau s'infiltre et ceux où, au contraire, elle ruisselle. La couverture végétale est également une composante du cycle de l'eau. L'eau est bien une ressource renouvelable ; néanmoins existent aussi des nappes fossiles, ressources non renouvelables. L'eau utilisable est inégalement répartie à la surface du globe, certaines régions recevant de faibles précipitations et ne disposant donc que d'une ressource réduite.

L'inégale répartition de la ressource. Pour des raisons climatiques existent sur la planète des régions inégalement arrosées.
– Aux basses latitudes, certaines régions reçoivent plus de 2 000 mm par an (4 100 mm à Douala au Cameroun, 2 000 à 3 000 mm en Amazonie). Les pluies sont réparties au long de l'année. Cette ceinture équatoriale (Amazonie, bassin du Congo, Philippines...) porte la grande forêt toujours verte. L'Asie du Sud-Est ou Asie des moussons reçoit aussi de grandes quantités de pluies réparties sur une saison correspondant à la mousson d'été (un peu plus de 2 000 mm à Hong-Kong, beaucoup plus au nord-est du golfe du Bengale, 12 000 mm de précipitations dans les montagnes de l'Assam où se trouve la station de Tcherrapoundji).
– Aux moyennes latitudes, l'Europe enregistre des quantités de pluies variables mais suffisantes pour permettre le développement de la forêt (environ 650 mm à Paris).
– Les montagnes, à toutes les latitudes, sont toujours plus humides que les plaines et servent de châteaux d'eau qui peuvent alimenter, par le biais des fleuves, les régions voisines (Himalaya avec le Gange et le Brahmapoutre ; les Alpes avec le Rhône et le Rhin...).
– À l'opposé, les régions arides se caractérisent par un déficit d'eau. Les déserts disposent de moins de 200 mm par an et les précipitations y sont d'une grande irrégularité dans l'année et entre les années. Ils sont situés soit sous les tropiques (le Sahara ou le Kalahari), soit en position d'abri au pied des massifs montagneux qui arrêtent les pluies et ne permettent pas aux masses d'air humides de se déverser sur le versant sous le vent (déserts dits « d'abri » à l'est des Andes) ; certains sont situés au cœur de l'Eurasie où l'humidité arrive peu puisque les masses d'air humides venues de l'ouest ont déversé leur humidité avant d'atteindre le cœur du continent (Gobi).

Le sixième de la population n'a pas accès à l'eau, en dépit du constat apparemment optimiste effectué dans notre introduction, à savoir une grande quantité d'eau disponible par rapport à la demande. Deux milliards de personnes vivent dans des pays à stress hydrique. On définit ainsi les pays où les ressources sont inférieures à 1 700 m³ par personne et par an. Quarante-trois pays dont le Mexique sont dans ce cas, les autres sont répartis en Afrique du Nord, en Afrique subsaharienne, au Moyen-Orient, en Asie centrale, sur la façade Pacifique de l'Amérique latine et, dans une moindre mesure, dans le sud de l'Europe. Dans ce contexte, l'Égypte, la Mauritanie, le Niger ne disposent que de 1 000 m³ par an et par habitant. Beaucoup de pays vivent au-dessus de leurs moyens hydriques, c'est le cas des États du sud-ouest des États-Unis, de la frange littorale du Maghreb, du sud-est de l'Australie, du sud-est de l'Inde et du nord-est de la Chine : tous doivent aller chercher l'eau parfois très loin ou exploiter, comme la Libye, l'Algérie ou l'Arabie Saoudite, les énormes nappes présentes dans leurs sous-sols, mais qui sont des nappes fossiles *(voir ci-contre, La disponibilité en eau douce dans le monde)*.

Ce n'est pas seulement la rareté mais la mauvaise gestion qui expliquent bien souvent l'absence d'accès ou de raccordement à l'eau des populations, selon le *Rapport mondial sur le développement humain* des Nations unies. Le non-accès à l'eau potable et la non-gestion des eaux usées sont souvent un problème politique. Beaucoup de grandes villes ou de campagnes situées pourtant dans des espaces bien pourvus en eau n'y ont cependant pas accès. C'est le cas de la ville de Brazzaville (É. Dorier-Apprill, 2007), au bord du Congo, l'un des plus grands fleuves du monde, où la population, dans sa très grande majorité, n'est pas raccordée à l'eau. De ce fait, la consommation de la ressource est très réduite, le milieu naturel est peu transformé, la faiblesse des équipements n'ayant pas nécessité que l'on s'attaque à la forêt pour installer, par exemple, des adductions d'eau ou des égouts – ce qui donne à la ville une empreinte écologique très faible. Alors même que l'absence d'eau potable et la très mauvaise gestion des eaux usées favorisent les maladies et multiplient les victimes.

LES BESOINS EN EAU ET LES USAGES DE L'EAU

Les usages de l'eau sont multiples : domestique (hygiène, cuisson), soit 10 % de la consommation totale ; agricole (irrigation), soit 70 % de l'eau consommée ; industriel (fabrication de certains produits nécessitant de l'eau), soit 20 % de l'eau utilisée. Une grande partie de l'eau ainsi employée revient dans le cycle et peut être éventuellement polluée.

L'augmentation de la demande en eau concerne d'abord l'irrigation, mais aussi l'eau domestique. Au cours du XXᵉ siècle, les prélèvements d'eau agricole

LA DISPONIBILITÉ EN EAU DOUCE DANS LE MONDE

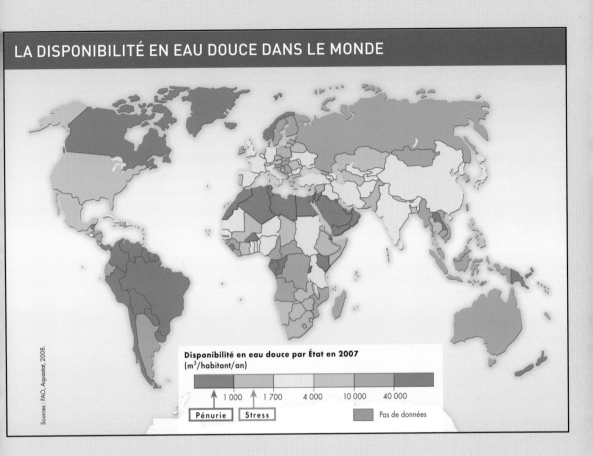

Sources : FAO, Aquastat, 2008.

Disponibilité en eau douce par État en 2007
(m³/habitant/an)

1 000   1 700   4 000   10 000   40 000

Pénurie   Stress

Pas de données

La disponibilité en eau douce par État révèle de grandes inégalités entre les pays où ces disponibilités sont grandes (Canada, Brésil...) et d'autres où elles sont faibles, voire très faibles (Maghreb, Arabie...). Cet indicateur qui associe ressources et demande de la population doit être affiné ; au sein des différents pays, de fortes inégalités régionales et sociales existent. La disponibilité en eau ne signifie pas que la population en dispose. En Afrique tropicale où abonde la ressource, une part importante de la population n'est pas raccordée pour des raisons économiques et politiques. Les raisons naturelles ne sont donc pas les facteurs uniques, voire premiers, dans de nombreux cas où la disponibilité en eau est insuffisante.

ont été multipliés par cinq. L'irrigation est très développée dans de nombreux espaces des régions arides, mais aussi dans le domaine méditerranéen et de manière générale en Europe. Les périmètres d'irrigation se sont multipliés en Chine, en Inde, comme aux États-Unis. L'agriculture irriguée participe au premier chef à la nourriture de l'humanité ; elle ne saurait donc être systématiquement remise en question, mais ses pratiques impliquent cependant une révision des méthodes et du gaspillage parfois engendré. La demande en eau justifie souvent que les sociétés aient endigué des fleuves, construit des barrages (Colorado, Volga, Indus, Nil). Les mégapoles ont une demande en eau sans cesse croissante. New York doit aller chercher l'eau de plus en plus loin dans les régions voisines, de même que Barcelone, Los Angeles ou Pékin.

- - - - - - - -

LES GRANDES INÉGALITÉS DE LA CONSOMMATION D'EAU DOMESTIQUE

Un Parisien consomme 150 litres d'eau par jour pour ses usages domestiques, un New-Yorkais 400 litres, un Haïtien 20 litres, un habitant des quartiers pauvres de Chennai (Madras, en Inde) 8 litres. À Tanger, avant raccordement à l'eau potable, la population utilisait 25 à 30 litres, et 125 litres après (A. Frérot, 2009).

- - - - - - - -

La ville de Riyad ne dispose d'eau que trois à quatre heures par jour. Sa surface de 20 km² dans les années 1980 atteint aujourd'hui 536 km², et sa population 4,5 millions d'habitants. L'adduction d'eau n'a pas suivi le rythme de la croissance urbaine. De même, à Djakarta, l'approvisionnement en eau et le système d'évacuation des eaux usées ont été conçus pour 500 000 habitants alors que la ville en compte aujourd'hui plus de 15 millions. En outre, la distribution d'eau est souvent inégalitaire au sein des mégapoles. Les quartiers les plus riches sont bien alimentés tandis que les plus pauvres n'ont guère accès à l'eau.

LA QUALITÉ DE L'EAU

Les différents usages de l'eau ne nécessitent pas la même qualité, mais l'eau domestique, notamment, doit être potable. Or l'eau est souvent polluée, particulièrement par les activités agricoles qui rejettent dans les cours d'eau et dans les nappes des nitrates et des pesticides. En France, selon l'Institut français de l'environnement (Ifen), de nombreux cours d'eau ont une quantité de nitrates comprise entre 25 et 50 milligrammes par litre, ce qui correspond à une eau de médiocre qualité. Quand ce taux dépasse 50 milligrammes par litre, l'eau est de mauvaise qualité. Dans les nappes, les pesticides et les nitrates demeurent jusqu'à ce que l'eau de la nappe ait été entièrement renouvelée – ce qui peut prendre quelques mois, dix ou vingt ans, ou encore davantage selon le caractère de la nappe.

Les eaux usées d'origine domestique sont plus ou moins abondantes ; leur quantité croît avec l'augmentation de la quantité d'eau utilisée. Or, sur le pourtour de la Méditerranée, 80 % des eaux usées sont rejetées dans la nature, dans les rivières et dans la mer. Les villes africaines ne sont guère équipées d'égouts. Il s'agit, selon Loïc Fauchon, président du Conseil mondial de l'eau, d'une « bombe sanitaire ».

La gestion des eaux usées est une nécessité : leur rejet dans la nature, en contribuant à polluer la ressource existante (pollution des cours d'eau, des nappes), peut être responsable de maladies et faire de nombreuses victimes.

DES SOLUTIONS EXISTENT-ELLES POUR L'ACCÈS À L'EAU DANS LE FUTUR ?

Peut-on considérer qu'un plus grand nombre de pays sera en situation de stress hydrique dans les années qui viennent ? L'eau va-t-elle manquer sur la planète ? Dès 1977, à Mar del Plata, la communauté internationale insistait sur le fait que « toute personne a droit à l'eau nécessaire pour ses besoins vitaux ». Les années 1980 ont été proclamées « Décennie internationale pour l'eau potable et l'assainissement » (1981-1991), l'objectif étant que toute la planète dispose des deux le plus rapidement possible. Au Sommet du millénaire, à New York en 2000, puis à nouveau lors de la conférence de Johannesburg en 2002, a été affirmée la nécessité de diviser par deux, d'ici à 2015, la proportion de personnes n'ayant pas accès à l'eau et de généraliser un assainissement de base. En 2006, le Programme des Nations unies pour le développement (PNUD) a établi un premier bilan qui témoigne du recul du nombre de personnes n'ayant pas accès à l'eau, recul lié à la forte croissance qui caractérise l'Inde et la Chine et qui leur a permis d'augmenter leurs équipements. Pourtant, plus de cinquante pays, notamment en Afrique subsaharienne, demeurent dans une situation encore bien éloignée de l'objectif indiqué. L'assainissement y accuse un retard important qui limite les aspects positifs du branchement d'eau potable là où il est réalisé.

En dépit des déclarations récurrentes issues notamment des grands organismes internationaux, la question se pose de savoir comment les pays pauvres, dont la population devrait continuer à croître encore assez fortement dans les années à venir, feront face aux problèmes de l'alimentation en eau et du traitement des eaux usées.

En outre, il faut distinguer les pays dont la ressource est rare, soit pour des raisons naturelles, soit en raison d'une forte demande excédant les ressources disponibles, et les pays capables de mobiliser leur ressource, voire d'étendre leur bassin d'alimentation.

Les questions liées à l'eau témoignent des relations étroites qui lient aspects environnementaux et sociaux. Une bonne gestion nécessite de concilier protection de la ressource, pérennité économique, équité sociale.

Il s'agit d'abord de réduire les pertes, or celles-ci sont souvent très élevées. Les pertes à Mexico dépassent la consommation journalière d'une ville comme Rome ! Les fuites semblent atteindre 50 % dans des villes comme Delhi ou La Nouvelle-Orléans. Dans les grandes villes marocaines (Tanger, Tétouan, Rabat), elles représentent la consommation d'une ville de 800 000 habitants.

L'agriculture utilise beaucoup d'eau. Elle est nécessaire pour assurer la sécurité alimentaire, mais il faudrait qu'elle soit plus efficace, qu'elle évite le gaspillage, notamment l'évaporation. En développant les techniques d'irrigation de type goutte-à-goutte, les gains seraient considérables : en Jordanie, le goutte-à-goutte a réduit d'un tiers la consommation d'eau agricole à l'échelle du pays.

Le traitement des eaux usées et le recyclage de l'eau constituent une autre solution. En Europe ont été installés des réseaux de collecte des eaux usées, des usines de traitement, moyennant un coût qui a parfois mécontenté la population, mais qui est accepté de nos jours comme une nécessité. Il est en effet indispensable de recycler les eaux usées. Le développement qui a caractérisé l'Europe au XIXe siècle est passé par une plus grande consommation d'eau pour l'hygiène corporelle, celle des vêtements, de l'habitat. La sortie de la pauvreté et du sous-développement des pays du Sud ne pouvant se faire sans accroissement de la consommation d'eau, il faut envisager le recyclage. Les eaux usées constituent véritablement une ressource. L'eau recyclée est moins chère que l'eau importée ou dessalée. Les trois quarts des eaux utilisées en Israël sont recyclées et réutilisées ensuite, y compris comme boisson. En Australie, dans le Queensland, 232 000 m³ par jour d'eau recyclée seront produits quand les équipements nécessaires seront achevés (A. Frérot, 2009). Mais parfois les populations hésitent à consommer l'eau recyclée.

Le dessalement de l'eau de mer est un procédé largement employé en Australie, en Arabie Saoudite, en Californie. L'Espagne mise sur le dessalement, dont le coût est de moins en moins élevé et les techniques de plus en plus simples. Mais la consommation d'énergie pour produire cette eau douce reste importante et les effets induits sont discutés (rejet de sels, de chlore).

Transférer l'eau sur de grandes distances constitue une solution : par exemple, du Rhône à Barcelone, du Yang-tsé-kiang à Pékin…

L'usage des nappes fossiles est plus discutable. Ainsi, les prélèvements effectués par la Grande Rivière en Libye risquent de provoquer une baisse importante du niveau de la nappe fossile. La réalimentation artificielle des nappes peut être localement envisagée si de l'eau de surface est disponible.

La récupération de l'eau de pluie dans des citernes, vieux procédé longtemps pratiqué, est utile pour l'arrosage, par exemple. Mais introduire cette eau dans les habitations sans traitement préalable peut être risqué pour la santé. L'usage de certains barrages ne peut être exclu *a priori*, naturellement. Leur eau stockée permet de multiples usages. Certes, évoquer de tels aménagements est désormais passé de mode, mais peut-on s'interdire *a priori* de telles constructions dans les pays déficitaires ?

Les solutions envisagées sont donc nombreuses. Elles nécessitent une bonne gouvernance, des choix politiques, une connaissance des pratiques et des ressources. L'Europe a largement progressé dans la voie d'une gestion durable, bien que des zones d'ombre subsistent encore, notamment en matière de pollution. Ces progrès résultent d'investissements scientifiques, techniques et financiers. Les pays pauvres parviendront-ils, au cours du XXIe siècle, à de tels résultats ? La satisfaction de leurs besoins en eau passe forcément par la mise en œuvre des solutions évoquées plus haut.

DES GUERRES DE L'EAU DEMAIN ?

Certains pays situés dans des secteurs pauvres en eau, comme c'est le cas en région semi-aride (par exemple, les pays du Sahel), associent un double handicap : une ressource naturellement réduite et souvent aussi un mal-développement qui explique l'insuffisance de leurs investissements en matière d'équipement et l'absence de gestion adaptée de la ressource. Une très forte demande dans des régions faiblement pourvues ne peut-elle créer des tensions entre États voisins pour le partage de la ressource ? Ce pourrait être le cas entre la Turquie, la Syrie et l'Irak. Une telle situation n'est pas à exclure. Elle sera aggravée en cas de changement climatique allant vers une sécheresse plus grande.

Les effets du changement climatique sur les ressources en eau sont cependant difficiles à prévoir. Le manque d'eau sera-t-il plus important dans les espaces déjà arides ? Quelles régions seront plus humides ou plus sèches ? Les scénarios fournis par le Groupe d'experts intergouvernemental sur l'évolution du climat (GIEC) font l'objet de nombreux débats et comportent beaucoup d'incertitudes. Mais il est d'ores et déjà nécessaire d'envisager des solutions pour faire face à diverses éventualités. La pénurie impose de s'interroger sur les priorités des usages de l'eau. Est-ce pour l'agriculture, les usages domestiques, le tourisme, l'industrie ? Les réponses doivent être envisagées au cas par cas et à des échelles adaptées ; les politiques ne peuvent éluder ces questions fondamentales qui pourraient, faute de réponses appropriées, susciter de fortes tensions entre les utilisateurs.

Y aura-t-il des guerres de l'eau ? Les deux tiers des grands fleuves du monde sont communs à plusieurs pays. Deux cent soixante-dix bassins fluviaux sont transfrontaliers – ainsi, le Nil traverse six pays. Dans l'histoire des hommes, la gestion de l'eau a amené plus de coopération que de conflits et il existe aujourd'hui environ 200 traités interétatiques relatifs à l'eau.

L'eau contraint les États à augmenter leur coopération, soit pour gérer une ressource de plus en plus sollicitée, soit pour réduire les pollutions, tandis que les éventuelles guerres de l'eau impliqueraient la maîtrise de bassins-versants plus ou moins vastes et la domination des populations qui les occupent. On peut donc considérer que la coopération est plus aisée que le conflit. Cependant, les tensions liées à la ressource en eau risquent d'aggraver d'autres tensions de nature différente.

En fait, la gestion durable de l'eau ne peut être, en un lieu donné, que l'affaire de tous. Elle doit mobiliser de nombreux acteurs : des acteurs internationaux qui attirent l'attention sur la situation de tel ou tel pays soumis au stress hydrique, des États qui doivent conduire une politique de partage et d'équipement, des régions, des communes, des firmes de gestion de l'eau, des agriculteurs, des industriels, des ONG, des citoyens. La formation de ces derniers est fondamentale, elle doit les sensibiliser à un usage raisonné de la ressource, même s'il est utile de rappeler que les économies d'eau – indispensables en tout lieu, y compris en Europe – ne contribuent pas forcément à résoudre le manque d'eau à Brazzaville ou à Niamey ! Ce qui force à reconsidérer la notion de «bien commun de l'humanité» appliquée à l'eau.

PÉNURIE ET GESTION DURABLE
DE L'EAU EN LIBYE

Sur une superficie de 1,75 million de kilomètres carrés, la Libye compte 6,3 millions d'habitants (estimation de 2009), dont 90 % sont répartis sur le littoral méditerranéen. 85 % des Libyens vivent dans des villes ; les plus importantes sont Tripoli, Benghazi et Syrte. Avec un taux d'accroissement naturel de 2 % par an, la population a été multipliée par cinq entre 1954 et 2000. L'augmentation de la population et la hausse du niveau de vie grâce aux revenus pétroliers, mais aussi l'urbanisation font planer la menace de la pénurie d'eau dans un pays situé essentiellement en domaine aride. Pour répondre à une demande en eau sans cesse grandissante – les besoins en eau sont évalués à 5 milliards de mètres cubes par an –, le gouvernement libyen a décidé, dans les années 1980, la mise en œuvre d'un programme baptisé « Great Man made River » (GMR) – en français, la « Grande Rivière Artificielle » (GRA). Il s'agit de transférer l'eau des nappes souterraines situées dans le sud du pays vers les régions peuplées du littoral, sur plus d'un millier de kilomètres, pour l'irrigation et l'approvisionnement des villes. Ce projet, considéré comme prioritaire par les Libyens soucieux d'assurer leurs besoins en eau potable et leur sécurité alimentaire, soulève de nombreuses questions en termes de gestion de la ressource et fait l'objet de controverses entre experts.

L'EAU, UNE RESSOURCE RARE ET VITALE EN LIBYE

90 % de la superficie de la Libye est occupée par le désert du Sahara ; seule la frange littorale du nord du pays jouit d'un climat de type méditerranéen sec et reçoit des précipitations annuelles qui dépassent rarement 300 mm. Les ressources en eau de surface ne peuvent couvrir que 2 % de la demande, le reste dépendant des nappes souterraines ou aquifères. Ces aquifères sont de deux types.

Les aquifères renouvelables situés dans le nord du pays contribuent à un apport de plus de 2 400 millions de mètres cubes par an alors que leur recharge annuelle est de 650 millions de mètres cubes. Ce déséquilibre a provoqué une diminution continue du niveau des nappes littorales, accompagnée d'une dégradation de la qualité de ces eaux rendues saumâtres par des infiltrations d'eaux salines.

Les nappes fossiles dans le désert, dont le renouvellement est si lent que l'on peut les considérer comme non renouvelables, appartiennent au système aquifère du Sahara septentrional. Il s'agit de ressources infiltrées dans des formations gréseuses alors que le Sahara était plus arrosé. Elles s'étendraient sur plus d'un million de kilomètres carrés et contiendraient plus de 30 000 kilomètres cubes d'eau. Découverte au milieu des années 1950, lors des recherches pétrolières dans la partie sud du pays, cette nappe transfrontalière, qui s'étend sous la Libye, le Tchad, l'Égypte et le Soudan, fait aujourd'hui l'objet d'une exploitation intense par la Libye, dont elle couvre plus de 50 % des besoins.

DES AMÉNAGEMENTS GIGANTESQUES ET COÛTEUX

. . . .

Le gouvernement libyen a lancé en 1985 le projet GRA, afin de mobiliser l'eau des nappes fossiles et de la distribuer aux populations *(voir ci-contre, Libye : la Grande Rivière Artificielle [GRA])*. Estimé à plus de 33 milliards de dollars, y compris l'investissement initial et les coûts d'entretien, le projet est financé par les revenus du pétrole. Il implique l'installation d'un vaste réseau de forages, de réservoirs et de canalisations. À la fin du programme, 4 000 kilomètres de tuyaux de 4 mètres de diamètre devraient permettre d'acheminer 6 millions de mètres cubes chaque jour, soit plus de 2 milliards de mètres cubes par an, dont 75 à 80 % iraient à l'agriculture pour faire avancer le projet d'autosuffisance alimentaire du pays – en 2000, la Libye devait importer 60 % de sa demande en blé et en orge.

Les travaux, en voie d'achèvement, correspondent à plusieurs phases. Lors de la première phase, près de 2 000 kilomètres de canalisations ont été posés. Reliant les puits des champs de Sarir et de Tazerbo au réservoir d'Ajdabiya sur la côte, ils approvisionnent la région de Benghazi et la région côtière jusqu'à Syrte. Une deuxième phase a permis la mise en service, dans la région de Sabha, de puits qui alimentent une conduite en direction de Tripoli depuis 1997. Les deux branches principales le long de la côte ont été raccordées lors de la troisième phase. Les phases suivantes permettront de développer les captages plus au sud (Koufra) et aussi aux points extrêmes est (Jaghoub) et ouest (Ghadamès) du pays.

L'eau ainsi transférée a servi d'une part à créer ou à revitaliser des périmètres irrigués, d'autre part à améliorer l'alimentation en eau des deux grandes agglomérations libyennes (Tripoli et Benghazi) ainsi que des zones industrielles littorales. Des zones irriguées par de gigantesques pivots de rampes d'arrosage ont été créées dans le désert ainsi qu'à proximité des villes.

L'EAU DU SAHARA, UNE SOLUTION DURABLE ?

. . . .

La GRA, considérée comme le plus grand projet d'adduction d'eau du monde, divise.

LIBYE : LA GRANDE RIVIÈRE ARTIFICIELLE (GRA)

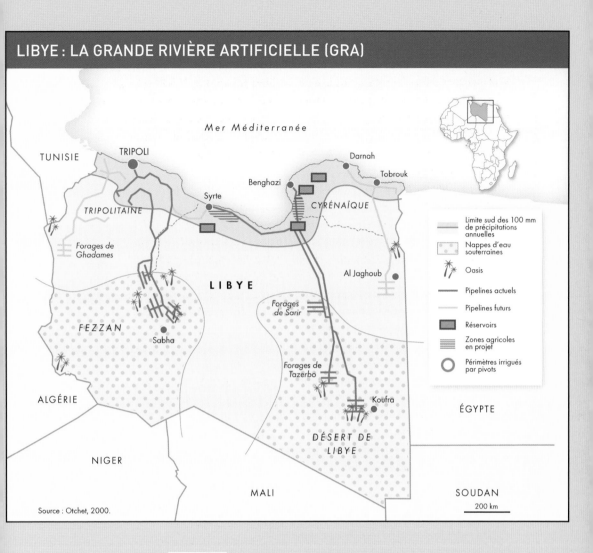

Source : Otchet, 2000.

Pour alimenter les espaces littoraux où se concentre la population libyenne et où se situent les principaux espaces agricoles, l'État libyen a décidé de transférer l'eau des nappes fossiles situées en profondeur dans les roches qui forment le substrat du désert. Ces nappes gigantesques et non renouvelables ont été trouvées grâce aux recherches pétrolières effectuées dans le désert. De très gros travaux ont été lancés pour installer de grands tubes capables d'acheminer l'eau du désert vers le littoral. En termes de développement durable se pose la question de l'exploitation de la ressource. Le gaspillage de l'eau à cause d'une irrigation mal conduite en région aride et d'un d'usage domestique souvent excessif pose aussi problème.

Pour les détracteurs du projet, il fait partie des «projets pharaoniques autant que destructeurs» (F. Lasserre et P. Rekacewicz, in *Le Monde diplomatique*, 2005). Les détracteurs s'inquiètent des conséquences environnementales et économiques du projet. Les aquifères exploités étant non renouvelables, les conditions de la durabilité du programme sont posées. Les Libyens exploitent de façon intensive l'eau du désert comme le pétrole alors que les réserves sont mal connues.

L'ampleur des stocks devrait permettre de faire face à l'augmentation prévue de la consommation : «Des estimations font état, pour la Libye orientale, de 2 500 milliards de mètres cubes, soit 350 années d'utilisation au rythme de 2 millions de mètres cubes par jour» (J. Fontaine, 1996), mais les pompages excessifs risquent de provoquer une baisse du niveau des nappes, ce qui pourrait entraîner des coûts supplémentaires car il faudrait pomper plus profondément.

Le coût du projet n'a cessé d'augmenter. Ce coût déjà très élevé ne peut être assumé que par un pays disposant de pétrodollars. L'entretien du réseau risque aussi d'être plus onéreux que prévu en raison des défaillances déjà décelées, telles que des problèmes de corrosion et des fuites importantes au niveau des conduites soumises à des conditions extrêmes dans le désert. Ces investissements hydrauliques devraient, à l'avenir, peser lourdement sur le budget de l'État en raison de la baisse possible des revenus pétroliers. Les experts discutent aussi du prix de revient de cette eau transférée qui ne reflète qu'une faible part du coût de l'adduction. À leurs yeux,

d'autres techniques, comme le dessalement de l'eau de mer, permettraient de répondre aux importantes demandes à un prix plus raisonnable.

Quant à la priorité donnée à l'agriculture, cette option est fortement critiquée par les opposants au projet. S'ils jugent légitime d'utiliser les eaux fossiles comme eau potable pour les populations, une ressource aussi précieuse est inadaptée pour l'irrigation car 40 à 60 % de l'eau utilisée en zone aride est perdue par évaporation, faute d'utiliser un système de goutte-à-goutte. Par ailleurs, le blé produit grâce à cette eau est beaucoup plus cher que celui acheté sur le marché international. Il serait préférable d'importer du blé. «D'après des projections effectuées par l'Autorité générale libyenne, il faudrait deux ou trois Grandes Rivières Artificielles pour que la Libye soit autosuffisante en agriculture. En 2025, la population du pays devrait compter quelque 12 millions d'habitants, les besoins en eau des ménages absorberont environ 55 % des eaux de la GRA, et même si l'on consacrait toute l'eau restante à l'agriculture, la Libye aurait besoin d'importer près de la moitié de son alimentation.» Il faudrait donc redéfinir la politique de l'eau, réfléchir à des modalités de rationalisation des usages agricoles et à la prise en compte du coût environnemental dans la définition du prix de l'eau.

Pour les partisans du projet, notamment le gouvernement libyen, exploiter les aquifères est pour le moment plus économique que les autres solutions telles que la construction massive d'usines de dessalement ou l'importation d'eau. Le dessalement de l'eau de mer a été jugé, au départ, trop cher et trop risqué en raison de la dépendance à l'égard de la technologie et des experts étrangers. Aujourd'hui, son déploiement sur une grande envergure comporte aussi des limites environnementales.

La maîtrise des eaux souterraines a d'abord été un choix politique nécessaire pour se diriger vers l'autosuffisance alimentaire alors que le pays avait à subir l'embargo des Occidentaux. La GRA doit laisser le temps d'élaborer des technologies nouvelles et une politique de l'eau intégrée incluant la recherche des économies d'eau et d'autres sources d'approvisionnement, telles que le dessalement. Des usines de dessalement ont été déjà réalisées sur la côte pour fournir, d'ici à 2010, jusqu'à un million de mètres cubes d'eau potable par jour. Parallèlement, des efforts sont faits en matière de recyclage des eaux usées, d'assainissement et de lutte contre le gaspillage.

Enfin, la construction de la Grande Rivière représente une volonté du gouvernement de diversifier le marché de l'emploi dominé par le secteur énergétique et de lutter contre le chômage.

EN CONCLUSION

Pour la Libye, les nappes fossiles semblent inépuisables : des études font état de 4 860 ans de réserves disponibles pour la Libye et les États voisins. Toutefois, les pompages excessifs associés à la dégradation des nappes renouvelables par la pollution marine risquent de constituer un lourd héritage pour les générations futures. Or ces aquifères jouent un rôle vital pour l'économie de la région. C'est pourquoi une autorité conjointe créée par les pays de la région se préoccupe de mettre au point un programme régional à long terme en vue d'une utilisation durable du système aquifère saharien. Une seconde initiative, dite Internationally Shared Aquifer Resources Management (Isarm), cherche à définir des codes de bonne conduite pour la gestion régionale des aquifères. Si certains experts considèrent que ces plans d'action sont rassurants, d'autres estiment que des tensions, voire des conflits, sont inévitables dans la région si les règlements internationaux tardent à venir.

09

___

IDÉES REÇUES, PIÈGES À ÉVITER

→ L'océan est un domaine immense sur lequel
les sociétés n'ont pas de prise.

→ Les richesses des océans sont infinies.

→ L'eau de mer absorbe et fait disparaître les pollutions.

GÉRER LES OCÉANS ET LEURS RESSOURCES

POUR UN DÉVELOPPEMENT DURABLE

Les surfaces océaniques représentent 71 % de la surface terrestre. L'océan mondial (les océans, les mers bordières et les mers intérieures) tient une place centrale dans le fonctionnement du cycle de l'eau, dans la dynamique climatique, mais son rôle exact dans les grands mécanismes terrestres demeure toutefois peu connu. Il en est de même des grands fonds océaniques qui n'ont commencé à être explorés que récemment, quand les moyens techniques l'ont permis. L'océan fournit des ressources pour les sociétés, en raison notamment de sa très riche biodiversité, mais il peut aussi être pollué. Globalement, mers et océans sont aujourd'hui très attractifs, beaucoup d'activités sont fixées sur les littoraux (industrie, pêche, tourisme). La littoralisation est emblématique de notre époque. Pour un développement durable, l'océan et ses littoraux doivent être gérés et utilisés de manière acceptable, en évitant les pollutions, en limitant la dégradation de la biodiversité.

• Quelles sont les ressources océaniques ?

• Sont-elles sans limites ?

• Quels sont les impacts des sociétés sur l'océan ?

• Comment « gérer » l'océan dans la perspective d'un développement durable ?

L'OCÉAN ET SES RESSOURCES

L'océan mondial, et ses grands fonds imparfaitement connus, joue un rôle majeur dans le cycle de l'eau : il est l'une des composantes de la dynamique climatique planétaire. L'océan apporte à l'homme une nourriture (poissons, coquillages, mammifères marins, algues). Les fonds océaniques renferment des ressources (gisements d'hydrocarbures, nodules polymétalliques). De nombreux groupes humains ont depuis longtemps vécu grâce à l'océan ou en étroit lien avec lui, prélevant animaux ou végétaux nécessaires à leur subsistance (pêche, ramassage de coquillages, d'algues). Mais au cours du XXe siècle, en raison d'une demande grandissante de produits de la mer que les progrès techniques (les bateaux, entre autres) ont permis de satisfaire, les prélèvements ont augmenté fortement, ce qui explique les phénomènes de surpêche et les inquiétudes concernant la biodiversité océanique.

- - - - - - - -

LES OCÉANS : UN DOMAINE COMPLEXE

Les fonds océaniques, dont la profondeur moyenne se situe à 3 800 mètres, associent de vastes bassins ou plaines abyssales situés en moyenne à 5 000 mètres de profondeur et des lignes de hauteur que l'on nomme des dorsales. Il s'agit de montagnes sous-marines qui cloisonnent les bassins. Ces dorsales composent un alignement de 75 000 à 80 000 kilomètres de long. La dorsale médio-atlantique, élément de cette grande « chaîne », se situe entre 1 500 et 3 000 mètres de profondeur. Ces dorsales résultent de la montée de roches venues des profondeurs (roches volcaniques). Des phénomènes hydrothermaux les caractérisent, des eaux très minéralisées (sulfate) sortent à plus de 200 °C. Des fosses étroites et très profondes existent aussi dans l'océan : trois sont creusées à plus de 10 000 mètres dans le Pacifique, en bordure d'arcs insulaires (Japon, Indonésie). La fosse des Mariannes, la plus profonde, atteint 11 000 mètres de profondeur.

L'eau de mer est globalement composée de 96,5 % d'eau pure et de 2,9 % de chlorure de sodium et d'éléments chimiques autres. Elle contient des sels dissous, des gaz : l'oxygène et le gaz carbonique jouent un rôle déterminant dans l'activité biologique et les faciès des sédiments marins. La température de l'eau varie en surface en fonction de la latitude et des saisons. Elle est en revanche remarquablement constante en profondeur, voisine de 0 °C à partir de 3 000 mètres de profondeur. Des couches d'eau superposées composent l'océan, les plus denses sont au fond ; les différentes masses d'eau se mélangent peu.

Les mouvements de l'eau s'expliquent par la rotation de la Terre, la force des vents, l'attraction de la Lune, la chaleur du Soleil. L'eau des océans est agitée par divers types de mouvements qui sont dus au phénomène de la marée, à l'action des vents créant des vagues, aux différences de température et de densité qui déterminent les déplacements des grands courants océaniques.

La dérive nord atlantique (ou Gulf Stream) est un courant chaud qui, partant du golfe du Mexique, traverse l'Atlantique Nord d'ouest en est et se dirige ensuite devant l'Europe vers l'Arctique. Ce courant apporte de la chaleur aux hautes latitudes. Le courant du Labrador, qui descend de l'Arctique, apporte de la fraîcheur aux latitudes plus méridionales sur la façade orientale de l'Amérique du Nord. Les déplacements d'eau verticaux ou obliques ont une grande importance sur la répartition et le développement des organismes vivants.

La remontée des eaux froides des profondeurs vers la surface constitue une situation d'*upwelling* qui s'accompagne d'une grande quantité de nutriments et favorise la productivité biologique. Les zones d'*upwelling* au large des côtes de Mauritanie ou du Pérou constituent des domaines de pêche convoités (sardines, anchois...).

- - - - - - - -

L'océan est riche en biodiversité. Les organismes animaux et végétaux vivent en pleine eau ou sur le fond. Les micro-organismes flottant près de la surface constituent le plancton (zooplancton et phytoplancton). Les animaux nageurs forment le necton. Les êtres vivant sur le fond composent le benthos. La flore et la faune océaniques ne sont encore que partiellement connues. À ce jour, on a répertorié 200 000 espèces marines, mais il est vraisemblable que de très nombreuses espèces restent à découvrir. Les milieux côtiers concentrent l'essentiel de la faune et de la flore, le domaine pélagique (océan profond) semble moins riche, mais les grands fonds portent des « oasis de biodiversité » à proximité des sources thermales. Les espaces très riches en biodiversité sont situés près des littoraux sur le plateau continental qui prolonge les continents sur une largeur moyenne d'environ 80 kilomètres et qui se situe à une faible profondeur (100 à 130 mètres en moyenne). Le plateau continental occupe 30 millions de kilomètres carrés, soit 7,4 % de la surface océanique ; il est riche en nutriments apportés par les fleuves. Les secteurs de brassage de l'eau océanique *(upwellings)* sont aussi très riches, comme c'est le cas au large du Pérou (anchois) ou dans l'océan Antarctique où abonde le krill (petite crevette consommée par les baleines). En revanche, l'océan aux latitudes tropicales est une sorte de désert biotique, alors que les mers froides sont plus fournies en biodiversité. Les poissons et autres coquillages sont une source de nourriture pour l'humanité – ils représentent 2,6 milliards de tonnes. Certains pays sont dépendants de ces prises, c'est le cas de nombreux pays en voie de développement littoraux.

L'océan renferme aussi d'autres ressources, son sous-sol peut contenir du pétrole et du gaz, comme c'est le cas dans l'Arctique, dans le golfe de Guinée, au nord-ouest de l'Australie, à l'ouest de la Californie, au large de la Norvège méridionale, des îles Shetland ou de l'Écosse. L'exploitation offshore est désormais bien maîtrisée. Les fonds océaniques, notamment dans le Pacifique, portent des nodules polymétalliques dont le diamètre varie de 1 à 10 cm – riches en fer et en manganèse, en cuivre et en nickel, ils constituent des réserves importantes de minerais. Associés aux dorsales existent aussi des dépôts hydrothermaux très riches en oxyde, en silicate, en sulfate. Il faut ajouter le sel marin et les ressources tirées de la mangrove (forêt tropicale qui pousse sur les littoraux bas soumis à la marée): bois, crevettes… La qualité des paysages littoraux est désormais mise en avant comme une attraction touristique, ce qui nécessite aussi une politique de conservation pour limiter le mitage et les dégradations.

L'OCÉAN MONDIAL, RÉCEPTACLE DES POLLUTIONS ET LIEU DE PRÉLÈVEMENTS EXCESSIFS

L'océan est un réceptacle pour les pollutions issues des continents, notamment apportées par les cours d'eau. Beaucoup d'espaces littoraux enregistrent des pollutions qui se traduisent par une eutrophisation responsable du phénomène des algues vertes (exemple de la Bretagne).

L'eutrophisation de certains écosystèmes aquatiques se produit lorsque le milieu reçoit trop de matières nutritives assimilables par les algues et que celles-ci prolifèrent en consommant l'oxygène dissous disponible. L'absence d'oxygène conduit finalement à la mort des espèces vivantes. Les principaux nutriments responsables de ce phénomène sont le phosphore (contenu dans les phosphates) et l'azote (contenu dans les nitrates).

Beaucoup de métaux lourds contaminent l'océan (plomb, mercure…), ainsi que des hydrocarbures issus des activités industrielles situées sur les continents, mais aussi des fuites possibles liées à l'extraction offshore et des pollutions associées au transport des hydrocarbures. Des produits chimiques divers atteignent aussi la mer. L'exemple du mercure rejeté par l'usine chimique Chisso dans la baie de Minamata a montré, dans les années 1950, la dangerosité du produit mercuriel au contact de l'eau de mer et ses effets quand il se concentre dans les chaînes alimentaires. La pollution d'origine nucléaire est difficile à préciser, mais n'est certainement pas absente, notamment dans les eaux des mers bordières de l'Arctique où sont échoués d'anciens bâtiments soviétiques à propulsion nucléaire. Beaucoup de déchets flottent aussi sur l'océan, c'est notamment le cas des sacs plastique qui, ingérés par les animaux, peuvent entraîner maladies et mort rapide.

L'essentiel des ressources biotiques prélevées dans l'océan est aujourd'hui exploité par quelques pays. Dix producteurs sont responsables de plus de 60 % des captures. Il s'agit notamment de la Chine, du Pérou, des États-Unis, de l'Indonésie, du Japon et du Chili. L'anchois est la principale espèce pêchée surtout par le Pérou, suivie du lieu d'Alaska, de l'anchois de l'Atlantique et du merlan bleu. Le Pacifique est le premier océan pour la pêche. La pêche est une activité primaire très ancienne. Longtemps les hommes ont pêché près des littoraux (pour des raisons techniques) dans le but de survenir à leurs besoins. La «révolution halieutique» (augmentation de la taille des bateaux, nouveaux systèmes de pêche, utilisation des techniques du froid pour la conservation des prises), qui date de moins d'un siècle, a permis des captures beaucoup plus importantes : les zones de pêches se sont élargies, l'exploitation des ressources s'est mondialisée. Désormais les bateaux modernes sont équipés d'appareils qui détectent les bancs de poissons. Dans de nombreux pays du Sud, la pêche, activité de subsistance, était côtière : on pêchait dans les lagunes, dans la mangrove… La pêche a connu un développement spectaculaire dans les années 1950 (Thaïlande, Corée, Sénégal), où d'artisanale, elle est devenue plus lointaine, plus profonde, intégrant de nouvelles techniques (sennes tournantes dans les années 1970) en liaison avec la modernisation des embarcadères et des criées. Dans un certain nombre de cas, la surpêche résulte de ces prélèvements devenus massifs. On définit la surpêche comme le déséquilibre entre le rythme de renouvellement de la ressource biologique et l'intensité du prélèvement.

En termes de pêche, le rapport coût-bénéfice explique que des captures trop abondantes fassent chuter les prix, le pêcheur s'endette pour pêcher plus et améliorer ses prises, il les augmente et pêche de plus en plus profondément. La politique qui encourage la modernisation des flottes n'est pas toujours sans conséquences sur la ressource.

LES LITTORAUX, ESPACES CONVOITÉS

Les littoraux, interfaces terre-mer, sont composés d'une bande plus ou moins large sur laquelle l'influence océanique se fait sentir, soit en termes climatiques (douceur de la bande côtière bretonne, par exemple), soit par l'effet des embruns. Cette bande présente en général une grande variété de milieux, plus ou moins salés, alternativement couverts et découverts par la mer, affectés par les tempêtes ou protégés. Ces espaces littoraux sont mobiles; leurs aspects varient à la faveur des marées, des tempêtes, mais aussi au fil du temps, en fonction des variations du niveau marin. Très bas pendant les périodes froides du quaternaire (120 mètres au-dessous du niveau actuel), le niveau a commencé à remonter avec la fonte des grands glaciers quaternaires il y a 14 000 ans environ et il continue à monter aujourd'hui, de manière plus modeste, en raison semble-t-il du réchauffement climatique. La moitié de l'humanité vit sur les espaces littoraux, où se localisent nombre de mégapoles et où sont implantées de nombreuses activités industrielles souvent associées à des ports. Cette bande mobile faite de sables (plages et dunes) ou de galets (plages de galets et cordons), de vases (marais maritimes, avec mangroves dans les régions tropicales) ou de roches résistantes à l'origine de côtes hautes, rocheuses et à falaises (Bretagne, pays de Caux…) fait l'objet de nombreuses modifications à des fins d'aménagement et de gestion. On a asséché les marais maritimes (polders), établi des digues ou des épis pour protéger les aménagements littoraux des effets des tempêtes, creusé des bassins portuaires ou des marinas. Beaucoup de littoraux sont très fortement transformés; le mitage y est souvent très important, les sites naturels fréquentés par la faune sauvage reculent généralement fortement. Les pollutions n'épargnent pas ces espaces (rejets urbains, pollutions par les hydrocarbures…). Il s'agit donc de les gérer autrement pour un développement durable. En Europe, la gestion intégrée des zones côtières (GIZC) fait aujourd'hui l'objet de nombreux travaux. Divers organismes, comme le Conservatoire du littoral en France, s'emploient à une gestion raisonnée des milieux et de la biodiversité pour éviter que ne s'aggrave la pression urbaine et touristique.

QUELLE GESTION DURABLE POUR L'OCÉAN MONDIAL ?

L'aquaculture pourrait être une solution pour limiter la surexploitation des ressources halieutiques. Développée dans divers pays – dont la Chine qui a multiplié les fermes aquacoles en eau douce et les élevages marins (daurades) –, elle fournissait, en 2002, 30 % de la production halieutique. Les animaux élevés dans ces fermes sont nourris avec de la farine de poisson, ce qui implique de prélever de grandes quantités de poissons – non consommés par les humains car il s'agit de poisson-fourrage –, mais ces pratiques appauvrissent la biodiversité de l'océan. En outre, l'aquaculture a des effets sur l'environnement, les produits médicamenteux nécessaires à ces élevages intensifs pouvant polluer les eaux et entraîner la dégradation des eaux littorales.

Un contrôle des excès de la pêche devrait être réalisé, pour une gestion durable des ressources halieutiques. Un «code de conduite pour une pêche responsable» a été adopté par la FAO en 1995 afin d'arriver à une exploitation durable de la ressource. Pour préserver les écosystèmes, un système de quotas ne semble pas suffisant, car le prélèvement de petits ou de jeunes animaux dégrade l'écosystème sans que soit cependant dépassé le quota autorisé. Peut-être faut-il limiter l'usage des techniques de pêche particulièrement agressives. Des recommandations ont été émises à Johannesburg en 2002 pour que soient mis en œuvre des plans d'action internationaux s'appuyant sur une gestion intégrée du milieu. Le Tribunal international du droit de la mer est chargé de régler les conflits, ce qui nécessite d'envisager le statut de l'océan.

La Commission du droit international, organe des Nations unies, a inscrit la question du droit de la mer à son ordre du jour dès 1949. Lors d'une première conférence qui a eu lieu à Genève en 1958, quatre conventions ont été adoptées, qui reprenaient pour l'essentiel le droit coutumier et fixaient les droits et obligations des États côtiers. Mais certaines questions restant en suspens, ainsi que l'émergence des pays du Sud, ont nécessité de reprendre le travail à partir de 1973, qui a abouti en 1982 à la conférence de Montego Bay sur le droit de la mer, à laquelle ont participé 150 États et 2 000 délégués.

Un nouveau droit de la mer organise un découpage de l'espace maritime que l'on peut classer en deux grandes catégories :
– l'espace qui échappe à l'emprise des États et où la liberté de naviguer, de pêcher, de survoler est totale. La création de cet espace a entraîné la création d'une police de haute mer ;
– les espaces relevant de la souveraineté ou de la juridiction de l'État côtier. On distingue dans cette catégorie les eaux territoriales (largeur maximale : 12 milles marins, soit 22,2 kilomètres) définies comme la zone de mer adjacente sur laquelle s'exerce la souveraineté de l'État côtier au-delà de son territoire et de ses eaux intérieures.

Dans les eaux territoriales, le principe de libre navigation, pour les traverser sans se rendre dans les eaux intérieures ou pour entrer ou sortir des eaux intérieures, constitue la règle pour les navires de commerce. Tout État est entièrement souverain dans ses eaux territoriales (pêche, protection contre les pollutions...).

Dans ce que l'on nomme la zone contiguë (d'une largeur maximale de 24 milles), l'État côtier peut exercer certains contrôles (douaniers, fiscaux) et un droit de poursuite pour réprimer les infractions à ses règles nationales.

La zone économique exclusive (ZEE) (d'une largeur maximale de 200 milles marins, soit 370,40 kilomètres) joue un rôle prépondérant dans les accords internationaux de pêche. Dans cette zone, une série de droits est reconnue

LES AIRES MARINES PROTÉGÉES (AMP) DANS LE MONDE

Aires Marines Protégées
(en 1997)
- de 100 à 1 000 km²
- de 1 000 à 5 000 km²
- plus de 5 000 km²

Grands Écosystèmes Marins
ou *Large Marine Ecosystems (LME)*

Les 4 600 AMP dans le monde correspondent à 0,6 % de la surface des océans alors que 9 % des surfaces terrestres sont protégées. Les experts préconisent une protection de 10 % de la surface océanique d'ici 2012, un objectif qui ne sera pas atteint avant... 2085 au rythme actuel.

Source : *Atlas of Population and Environment*, American Association for the Advancement of Science (AAAS), 2000 ; Environmental Data Center, université de Rhode Island (voir www.edc.uri.edu/lme).

Les aires protégées ne représentent qu'une superficie assez faible, soit 0,6 % de la surface océanique. Leur existence a pour but de protéger des milieux sensibles et des espèces menacées, d'accroître la productivité des lieux de pêche en protégeant les lieux favorables à la reproduction, de réguler les différents usages de la mer. En France, en 2006, a été créée l'Agence des aires marines protégées. Celles-ci regroupent des réserves naturelles, des parcs naturels, des espaces caractérisés par des arrêtés de biotopes, le domaine public marin géré par le Conservatoire du littoral, des sites Natura 2000 et des parcs naturels marins. Beaucoup de pays pauvres ne disposent pas de moyens humains et matériels pour mettre en œuvre de réelles mesures de gestion et de conservation (réglementations des activités, réduction des pollutions, surveillance, accueil et information du public).

à l'État côtier : des droits souverains aux fins d'exploitation, de conservation et de gestion des ressources naturelles, un droit exclusif d'autoriser et de réglementer les forages ou les recherches scientifiques, le droit de poursuivre en haute mer les navires responsables d'infractions commises dans la ZEE et tous les pouvoirs pour la préservation du milieu marin. Les États côtiers étant maîtres de ces ZEE, il leur appartient d'en négocier l'exploitation. Ainsi peuvent-ils, moyennant finances, abandonner une partie de ces droits et/ou les sous-traiter à des entreprises et/ou à des pays étrangers. Ces zones sont très convoitées : 95 % des ressources halieutiques mondiales s'y trouvent. En conséquence, de nombreux pays en voie de développement ont préféré obtenir des devises en concluant des accords avec des pays du Nord plutôt que de préserver leurs ressources ainsi que leurs pêcheurs. L'État côtier jouit de droits souverains et exclusifs sur les ressources vivantes, mais aussi sur les ressources minérales et dispose de droits de juridiction dans le domaine de la pollution des mers et en matière de recherche scientifique.

Une institution internationale, l'Organisation maritime internationale (OMI), dont le siège se trouve à Londres, a vu le jour pour gérer ce droit de la mer. Son activité se consacre à l'amélioration des transports maritimes et à la préservation du milieu marin. L'OMI a mis en place de nombreuses conventions internationales contraignantes pour les pays qui les ont signées ainsi que des recommandations sur la sécurité et la pollution en mer. Si une grande partie du travail de l'OMI concerne le transport marchand, certaines de ses recommandations s'appliquent à la pêche et constituent des codes ou des pratiques conseillées. Mais beaucoup reste à faire pour une gestion vraiment durable de l'océan.

Des protections spécifiques aux océans ainsi que des aires protégées ont vu le jour depuis quelques années, par-delà les réglementations évoquées *(voir p. 165, Les aires marines protégées [AMP] dans le monde)*. Parmi les réserves naturelles nationales (au nombre de 156) représentant 540 000 hectares, il n'y a que onze réserves maritimes couvrant un peu plus de 118 000 hectares : réserves naturelles du Grand Cul-de-Sac marin et de Petite Terre en Guadeloupe ; de Saint-Barthélemy et de Saint-Martin dans les Antilles ; de Scandola et des bouches de Bonifacio en Corse ; des sept îles et de la baie de Saint-Brieuc en Bretagne ; du banc d'Arguin en Gironde ; de la baie de l'Aiguillon en Charente-Maritime ; de Cerbère-Banyuls en Languedoc-Roussillon et de la baie de Somme. Dans le monde, 4 600 aires marines protégées représentent 0,6 % de la surface des océans. Les experts préconisent une protection de 10 % de la surface océanique pour les années proches. Au rythme de classement actuel, cet objectif ne devrait être atteint qu'à la fin du XXIe siècle.

LE CABILLAUD DANS L'ATLANTIQUE DU NORD-EST : DE LA SUREXPLOITATION À LA GESTION DURABLE

Le cabillaud ou morue *(Gadus morhua)* est un poisson de fond qui se développe sur la plate-forme continentale dans les eaux tempérées froides de l'Atlantique Nord (situées au nord du 51° de latitude). L'abondance de la ressource et la présence d'un marché ont favorisé une pêche intensive jusqu'à une surexploitation des stocks qui a mis en péril le renouvellement de l'espèce et imposé des mesures de préservation. Désormais, la ressource cabillaud est surveillée par des mesures variées plus ou moins efficaces, mais toujours contraignantes et difficiles à faire accepter par les professionnels de la pêche. Les dernières manifestations des pêcheurs du Nord - Pas-de-Calais contestant en 2009 les quotas de pêche pour le cabillaud en témoignent. Qu'en est-il de la ressource en mer du Nord ? Comment est-elle gérée au sein de l'Union européenne ?

UNE RESSOURCE MENACÉE

Alors que la pêche au cabillaud a pratiquement disparu de l'Atlantique du Nord-Ouest – les stocks ne parvenant pas à se reconstituer malgré la fermeture de cette pêche par décision de l'Organisation de la pêche de l'Atlantique du Nord-Ouest (Opano) en 2000 –, le cabillaud continue à être pêché dans l'Atlantique du Nord-Est. Ce poisson se distribue depuis le plateau continental du sud de la Grande-Bretagne jusqu'au Spitzberg et à la mer de Barents *(voir p. 169, L'évolution des pêcheries dans l'océan Atlantique ; p. 170, Le cabillaud dans l'Atlantique Nord).* Il vit à proximité de la côte jusqu'à 600 mètres de profondeur, se concentrant entre 150 et 200 mètres de profondeur. Il existe un grand nombre de populations de morue. Près de vingt-cinq variétés ont été dénombrées dans l'Atlantique Nord. Pour présenter quelques caractéristiques de ce poisson, nous nous limiterons à la population de la mer du Nord. Le cabillaud de la mer du Nord migre peu ; sa période de ponte s'étale de décembre et mai, à la différence du cabillaud norvégien ; il devient mature entre 3 et 5 ans.

La morue est surtout capturée par des pêcheurs professionnels aux chaluts de fond et pélagiques, à la palangre ou à la ligne. Si des captures accessoires peuvent être réalisées dans les pêcheries du sud de la mer du Nord, la majorité des

L'ÉVOLUTION DES PÊCHERIES DANS L'OCÉAN ATLANTIQUE

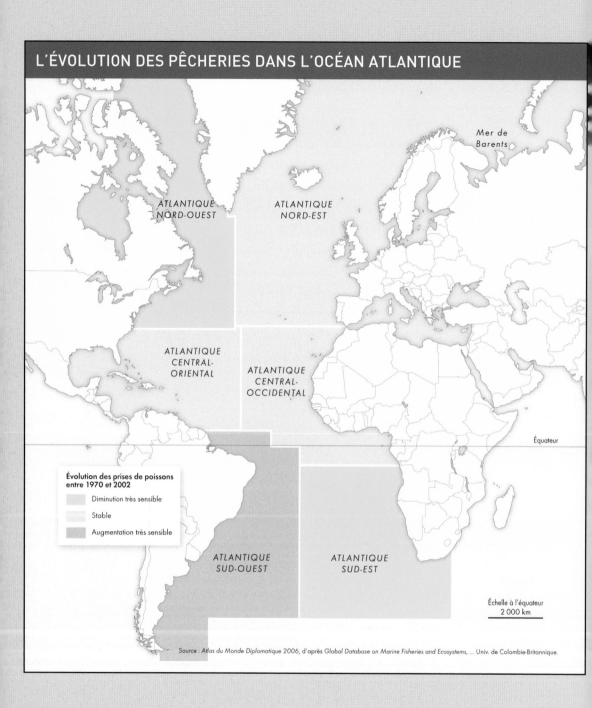

Mer de Barents

ATLANTIQUE NORD-OUEST

ATLANTIQUE NORD-EST

ATLANTIQUE CENTRAL-ORIENTAL

ATLANTIQUE CENTRAL-OCCIDENTAL

Équateur

Évolution des prises de poissons entre 1970 et 2002

- Diminution très sensible
- Stable
- Augmentation très sensible

ATLANTIQUE SUD-OUEST

ATLANTIQUE SUD-EST

Échelle à l'équateur
2 000 km

Source : Atlas du Monde Diplomatique 2006, d'après Global Database on Marine Fisheries and Ecosystems, ... Univ. de Colombie-Britannique.

LE CABILLAUD DANS L'ATLANTIQUE NORD

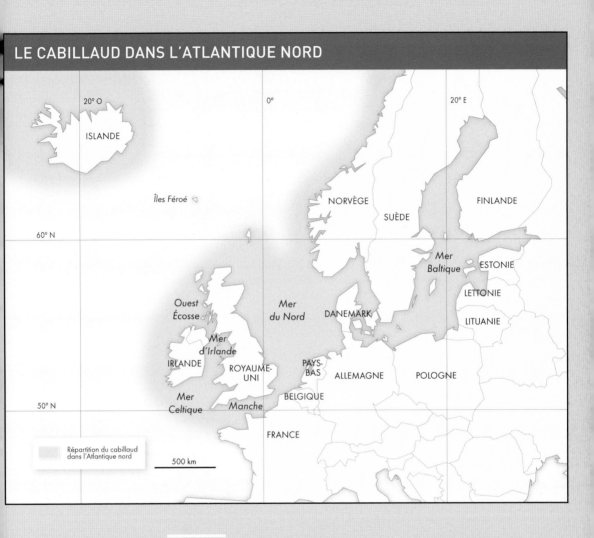

Le cabillaud, ou morue, est largement distribué dans l'Atlantique Nord-Est, de la côte jusqu'aux fonds de 600 mètres. Il occupe le large plateau continental qui borde les côtes de l'Europe occidentale. On le trouve au Nord, en mers Celtique et d'Irlande. Les zones côtières de la Manche Est abritent quelques nurseries, notamment dans le pas de Calais. La pêche du cabillaud s'exerce toute l'année, avec une légère prédominance des apports automnaux. Les métiers du chalutage hauturier sont dominants. En 2004, l'état du stock, considéré comme mauvais, a conduit la Commission européenne à proposer un plan de restauration pour cette espèce, concernant les stocks de la mer du Nord, de la Manche Est et de la mer Celtique.

débarquements est réalisée par le Royaume-Uni, le Danemark, les Pays-Bas au sein de l'Union européenne, les pêcheries françaises réalisant à peine 5 % des débarquements totaux. Les autres grandes pêcheries se situent en Norvège et en Russie.

Très ancienne, la pêche à la morue s'est développée pour atteindre son apogée au XIXᵉ siècle. À cette époque, les morutiers français partaient pêcher à Terre-Neuve et à Saint-Pierre-et-Miquelon. Le déclin de cette pêche a commencé après la Seconde Guerre mondiale dans l'Atlantique du Nord-Ouest. À la suite d'une chute brutale des prises dans les années 1990, un moratoire fut mis en place dès 1992 entre le Canada et la France, jusqu'à l'arrêt définitif de la pêche en 2000. Dans les eaux européennes, la raréfaction de l'espèce n'est devenue préoccupante qu'à partir de la fin des années 1990. En mer du Nord et à l'ouest de l'Écosse, on a assisté à un effondrement des stocks nécessitant des mesures à long terme, fondées sur une stratégie de reconstitution de la ressource. Les pêcheurs sont à la fois responsables et victimes de la surpêche qui est à l'origine de problèmes économiques et sociaux importants pouvant déstabiliser des régions entières.

VERS UNE GESTION DURABLE DE LA RESSOURCE ?

. . . .

La pêche à la morue a constitué un enjeu politique et juridique important des années 1950 aux années 1970. Elle a été une des raisons de l'extension de la souveraineté de plusieurs États en mer et de la revendication des zones économiques exclusives (ZEE), l'objectif étant de réserver la ressource aux pêcheurs nationaux (en témoignent les conflits entre le Canada et la France à Terre-Neuve ou entre le Royaume-Uni et l'Islande). La nationalisation de 95 % des ressources biologiques consécutive à l'instauration d'un nouveau droit de la mer qui reconnaît la souveraineté des États côtiers sur la zone économique exclusive n'a pas amélioré la situation. L'effondrement des stocks sous l'effet de la surexploitation de l'espèce a imposé la nécessité de gérer la ressource en tentant d'adapter les captures aux possibilités de renouvellement naturel des stocks.

Des limitations de captures furent les premiers instruments de gestion de la ressource mis en place par la Politique commune de la pêche (PCP) au sein de l'Union européenne : TAC (totaux admissibles de captures), quotas, limitation de l'effort de pêche et un certain nombre de mesures techniques (taille minimale de capture autorisée, maillage des filets...). Ces mesures n'ont pas été très efficaces. Par exemple, le TAC de la mer du Nord n'a cessé de baisser (140 000 tonnes en 1998, 48 600 en 2001), les débarquements étant inférieurs aux TAC de 10 à 40 %, malgré des mesures techniques moins strictes que dans les eaux norvégiennes (taille minimale des débarquements dans les eaux communautaires de 35 cm contre 40 cm dans les eaux norvégiennes, maillage minimal des filets de 80 à 120 mm contre 120 mm en Norvège). Les rejets étaient importants : en 1999, on les estimait de 50 à 100 % des individus âgés de 1 an ; les cabillauds de 1 à 3 ans, donc immatures, représentaient entre 80 et 95 % des captures. C'est en raison de ces signes avant-coureurs de l'épuisement des stocks qu'a été instauré en 2001 un plan de restauration en trois volets : réduction des TAC allant jusqu'à la fermeture temporaire de certaines zones de pêche pendant la période de frai, augmentation du maillage minimal de 100 à 120 mm pour protéger les juvéniles. Un plan de reconstitution des stocks de cinq à dix ans a suivi. Fin 2008, la Commission européenne, estimant que le plan mis en place commençait à porter ses fruits, a décidé d'augmenter de 30 % les quotas de capture du cabillaud en mer du Nord ainsi qu'en Manche pour la campagne de 2009. Au printemps 2009, les pêcheurs du Nord - Pas-de-Calais, ayant atteint les quotas attribués, demandaient une renégociation. L'état des stocks de cabillaud et leur reconstitution restent un sujet sensible. Les taux admissibles de captures et les quotas relèvent d'une décision politique prise sur avis scientifiques. En effet, des recommandations sont faites, chaque année, par le Conseil international pour l'exploration de la mer (CIEM). Cet organisme scientifique installé en 1902 à Copenhague et qui regroupe des biologistes de tous les pays pêcheurs de l'Atlantique Nord est chargé de suivre l'état de la ressource. Or les décisions prises ne semblent satisfaire personne : les scientifiques considèrent qu'ils ne sont pas suffisamment entendus et que les quotas attribués sont supérieurs aux recommandations ; les pêcheurs se plaignent de n'être pas assez écoutés par les scientifiques qui, disent-ils, ne connaissent pas la mer ; quant aux ONG, plus proches des scientifiques que des pêcheurs, elles estiment que l'apparente abondance de cabillaud relevée par les pêcheurs est locale et ponctuelle et que l'état de la res-source reste précaire en Manche et en mer du Nord, contrairement à la mer de Barents où le nombre de cabillauds a fortement augmenté ces dernières années, notamment grâce aux mesures prises par la Norvège (suivi de l'avis des scientifiques, application du principe de précaution dans la fixation des quotas, mesures de surveillance et de contrôle plus strictes que dans l'Union européenne). Les quotas sont au cœur de vifs débats au sein de l'Union européenne, la Politique commune de la pêche est jugée inefficace car insuffisante tant en matière de surveillance et de contrôle que de gestion des subventions octroyées au secteur de la pêche. Des réformes sont souhaitées, l'enjeu étant de mieux gérer la ressource en tentant d'adapter les captures aux possibilités de renouvellement naturel des stocks.

EN CONCLUSION

L'exploitation du cabillaud fournit un exemple de tentative de gestion durable d'une ressource devenue limitée à la suite d'une pêche trop intensive. Malgré les mesures prises grâce à la Politique commune de la pêche, les problèmes ne sont pas résolus de façon satisfaisante. La pêche ne pouvant plus répondre à l'accroissement continu de la demande, le recours à la production aquacole de morue en provenance de Norvège ou d'Écosse, sans être une solution de remplacement, peut permettre de préserver les populations de morues sauvages en réduisant la pression de la pêche sur la ressource.

10

IDÉES REÇUES, PIÈGES À ÉVITER

→   La « bombe climatique ».

→   L'emballement climatique.

→   Les sociétés sont totalement responsables
                 du changement climatique.

→   Le changement climatique est exclusivement
                 dû à la nature.

MÉNAGER L'ATMOSPHÈRE POUR UN DÉVELOPPEMENT DURABLE

Ménager l'atmosphère signifie préserver la qualité de l'air pour un bon fonctionnement de la planète et pour la santé des populations. Or la pollution atmosphérique a largement accompagné le développement économique des sociétés, depuis les tempêtes de poussières *(dust bowl)* des années 1930 dans les Grandes Plaines américaines, le *smog* des régions industrielles utilisant le charbon, jusqu'à aujourd'hui, en raison des conséquences des pollutions dues aux transports. La pollution atmosphérique demeure préoccupante à différentes échelles, dans les villes par exemple où elle peut aggraver maladies pulmonaires ou asthme et, plus largement, pour l'ensemble de la planète où elle est considérée comme responsable du changement climatique. Le changement climatique est un élément à envisager quand on évoque le développement durable.

• Les effets du changement climatique sont-ils compatibles avec le développement durable ? Comment réduire les rejets de gaz à effet de serre ?
• Quelle efficacité les mesures prises ont-elles pour limiter le changement climatique ?

L'AIR ET L'ATMOSPHÈRE

L'air est nécessaire à la vie, il compose l'atmosphère, mince enveloppe dont les neuf dixièmes se situent au-dessous de 16 kilomètres d'altitude et qui est faite de gaz. L'air est un mélange de gaz de composition pratiquement constante :
– azote : 78,09 % ;
– oxygène : 20,95 % ;
– argon : 0,93 % ;
– dioxyde de carbone : 0,03 % ;
– gaz dits rares (néon, hélium, krypton, hydrogène, xénon, ozone, radon).
Particules solides et liquides constituent des noyaux de condensation. L'air contient une quantité variable de vapeur d'eau.

- - - - - - - -

L'EFFET DE SERRE

Il s'agit d'un processus naturel qui explique la température moyenne de la planète, soit + 15 °C contre – 18 °C s'il n'existait pas. L'énergie provenant du Soleil et reçue par la surface de la Terre représente moins de la moitié de ce qui est parvenu à la surface supérieure de l'atmosphère en raison à la fois de l'absorption et de la réflexion d'une partie de l'énergie par les nuages et par sols, les végétaux, l'eau... Cette énergie est restituée à l'atmosphère. La radiation émise par les substrats peine à traverser l'atmosphère en raison de l'écran que forment l'eau et les gaz à effet de serre (vapeur d'eau, gaz carbonique) qui absorbent les radiations infrarouges. Ces gaz sont responsables de l'effet de serre.

Ainsi, un tiers de l'énergie solaire qui parvient dans l'atmosphère est immédiatement réfléchi. Le reste est transformé et piégé plus ou moins longtemps dans les basses couches de l'atmosphère ; c'est ce que l'on nomme l'effet de serre (voir p. 176, Le mécanisme de l'effet de serre).

- - - - - - - -

LE MÉCANISME DE L'EFFET DE SERRE

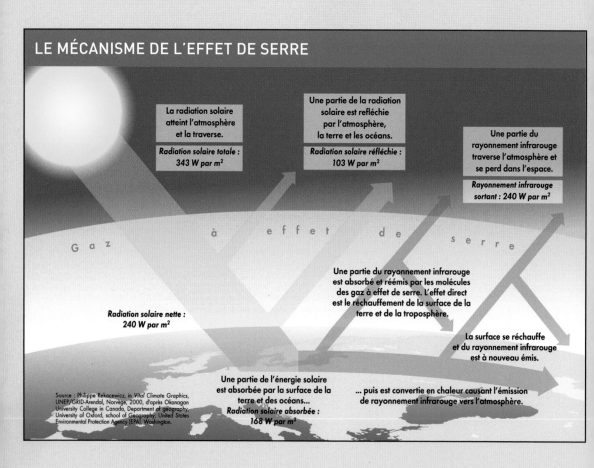

La radiation solaire atteint l'atmosphère et la traverse.

Radiation solaire totale : 343 W par m²

Une partie de la radiation solaire est refléchie par l'atmosphère, la terre et les océans.

Radiation solaire réfléchie : 103 W par m²

Une partie du rayonnement infrarouge traverse l'atmosphère et se perd dans l'espace.

Rayonnement infrarouge sortant : 240 W par m²

Gaz à effet de serre

Une partie du rayonnement infrarouge est absorbé et réémis par les molécules des gaz à effet de serre. L'effet direct est le réchauffement de la surface de la terre et de la troposphère.

Radiation solaire nette : 240 W par m²

La surface se réchauffe et du rayonnement infrarouge est à nouveau émis.

Source : Philippe Rekacewicz, in *Vital Climate Graphics*, UNEP/GRID-Arendal, Norvège, 2000, d'après Okanagan University College in Canada, Department of geography, University of Oxford, school of Geography; United States Environmental Protection Agency (EPA), Washington.

Une partie de l'énergie solaire est absorbée par la surface de la terre et des océans...
Radiation solaire absorbée : 168 W par m²

... puis est convertie en chaleur causant l'émission de rayonnement infrarouge vers l'atmosphère.

Les gaz à effet de serre (GES) présents dans l'atmosphère retiennent la chaleur à la manière d'une serre qui laisse entrer les radiations solaires mais ne les laisse pas s'échapper. L'effet de serre est un ensemble de processus naturels indispensable pour que la température moyenne soit d'environ 15 °C. Quand le rayonnement solaire parvient sur la Terre, 30 % de ce rayonnement est réfléchi vers l'espace par les nuages, l'atmosphère elle-même et par la surface de la Terre. Le reste est absorbé par le sol, les océans et finalement renvoyé vers l'espace (rayonnement infrarouge). Les GES absorbent une partie de ces infrarouges ; en récupérant cette énergie, ils sont à l'origine d'un réchauffement. Les GES sont des gaz qui interceptent les infrarouges émis par la surface terrestre.

ATMOSPHÈRE, POLLUTIONS ET RÉCHAUFFEMENT CLIMATIQUE

L'atmosphère a un rôle majeur dans le fonctionnement de la planète; sa participation au cycle de l'eau est fondamentale bien qu'elle ne renferme qu'une part réduite de l'eau présente sur la terre; son rôle dans l'effet de serre est fondamental. Le dioxyde de carbone qui absorbe des radiations infrarouges intervient aussi dans la croissance des végétaux (photosynthèse et respiration) et entre dans le cycle du carbone.

Dans l'atmosphère se forment et se déplacent les masses d'air à l'origine du temps et du climat. Ce dernier est défini comme étant les conditions moyennes qu'il fait en un endroit donné (température, précipitations...), calculées d'après les observations d'une durée minimale de trente ans (selon les normes définies par l'Organisation météorologique mondiale). Il est donc caractérisé par des valeurs moyennes, mais également par des variations et des extrêmes.

La pollution, l'envoi de gaz et de particules dans l'air modifient les caractères physiques et chimiques de l'atmosphère et ont des effets sur les climats aussi bien aux échelles locales (réchauffement urbain) qu'à l'échelle planétaire (changement climatique).

Les hommes sont donc des acteurs du climat et de son changement en raison notamment des quantités de CO_2 émises vers l'atmosphère par la combustion des énergies fossiles: charbon, pétrole et gaz naturel.

La température moyenne de la planète est de 15 °C. Cette valeur oscille entre 10 et 16 °C selon la position de la Terre par rapport au Soleil, selon les émissions solaires. Or, depuis la fin du XIXe siècle, pour autant que l'on ait des données fiables de températures, on peut admettre que les températures de la planète augmentent. Ce constat a conduit en 1988 à la création du Groupe d'experts intergouvernemental sur l'évolution du climat (GIEC), chargé d'envisager cette situation pour le Sommet de la Terre de Rio (1992). Le GIEC, composé d'experts nommés par le gouvernement de leur pays, a réalisé un état des lieux du climat et prépare des rapports destinés aux politiques. Les rapports de 1990, 1995, 2001, 2007 concluent au réchauffement. Le rapport de 2007 indique que la température moyenne à la surface de la planète a augmenté d'un peu moins de 1 °C (0,76 °C depuis 1860, dont 0,74 °C depuis 1900 et 0,2 °C depuis 1990). Cette hausse est incontestable, mais reste dans la fourchette de la variabilité naturelle. Les experts du GIEC considèrent que, depuis le début du XXe siècle, le réchauffement serait dû «au forçage anthropique», autrement dit aux rejets du CO_2 dans l'atmosphère par les effets de l'industrialisation et des transports.

L'augmentation constatée de la température de la Terre est donc considérée comme associée aux fluctuations des gaz à effet de serre (GES), et notamment du CO_2 – 280 ppm de CO_2 existaient dans l'atmosphère avant la révolution indus-trielle contre 380 ppm aujourd'hui. Actuellement, on envoie dans l'atmosphère environ 7 gigatonnes de carbone par an, la végétation et les océans en absorbent environ 2 à 3. Les 5 gigatonnes restantes sont responsables de ce que l'on nomme l'effet de serre additionnel.

Le CO_2 est loin d'être le seul gaz responsable de l'effet de serre additionnel : le méthane, vingt fois plus efficace en matière d'effet de serre, l'oxyde d'azote, la vapeur d'eau, sont aussi des GES. La vapeur d'eau est le plus abondant des GES, elle contri-bue à 70 % de l'effet de serre total.

LES ÉMETTEURS DE GES ET LES SCÉNARIOS POUR LE FUTUR

Les plus gros émetteurs de GES sont les pays riches : États-Unis, pays arabes riches en pétrole. La Chine et l'Inde, pays émergents, sont des émetteurs de plus en plus importants. Globalement, l'Europe a réduit ses rejets. Le CO_2 produit dans les pays riches provient pour un quart des transports, pour un quart des industries et pour le reste des bâtiments et de l'agriculture.

Des techniques pour capturer le CO_2 existent, qui devraient réduire sa dispersion dans l'atmosphère.

**Émissions de CO_2 par secteurs économiques,
en France métropolitaine**

Énergie	21 %	25	13	14
Industrie	30 %	25	22	19
Résidence, bureaux	25 %	23	22	23
Agriculture	12 %	10	17	16
Transports routiers	9 %	14	21	24
Autres	3 %	3	5	4
Années	1970	1980	1990	2005

Observatoire de l'énergie, Service statistique du MEEDDEM, 2007.

Les scénarios pour le futur, présentés dans le rapport du GIEC de 2007, envisa-gent une hausse des températures moyennes de l'air à la surface du globe allant de 1,1 à 6,4 °C en 2100 par rapport à 1990. Les hausses seraient plus importantes aux hautes et moyennes latitudes. L'une des conséquences de cette situation serait la montée du niveau marin. D'ici à 2100, il devrait atteindre 18 à 59 cm, ce qui affec-terait à des degrés divers près de 50 millions de personnes vivant près des littoraux. La répartition et les volumes de précipitations seraient modifiés ; les scénarios proposés envisagent une aggravation de la sécheresse dans les régions déjà arides et dans les espaces méditerranéens.

Le GIEC associe réchauffement climatique et augmentation du nombre et de l'intensité des aléas climatiques (davantage de très fortes pluies et d'inondations, plus de cyclones, plus de tempêtes, plus d'épisodes de canicule), ce qui pourrait être responsable de l'aggravation des risques et des catastrophes pour les populations. En revanche, les effets positifs du réchauffement pour certains espaces comme la Russie ou la Scandinavie sont rarement évoqués.

Les scénarios du GIEC sont largement fonction des données disponibles (soulignons-le), et celles-ci sont encore bien insuffisantes quand il s'agit de savoir le rôle précis des océans, des couverts végétaux dans le fonctionnement climatique planétaire. Ces scénarios sont entachés de beaucoup d'incertitudes, notamment quand ils envisagent les évolutions des climats régionaux ou locaux.

Ces projections obligent cependant à réfléchir sur la nécessaire diminution des usages des combustibles fossiles afin de limiter le rejet des GES et de mieux gérer ces ressources non renouvelables en termes de développement durable.

Les gaz à effet de serre

Gaz à effet de serre	Sources anthropiques
CO_2	Énergie (80 %), déforestation (17 %), production de ciment (2 %), autres
CH_4 méthane	Énergie (26 %), fermentation entérique (23 %), rizières (17 %), déchets (8 %), décharges (10 %), combustion de biomasse (8 %), eaux usées domestiques (7 %), autres
CFC	Industries : réfrigérants, aérosols, solvants (100 %)
N_2O protoxyde d'azote	Combustions (8,7 %), sols fertilisés (48 %), défrichage (18 %), production d'acide (15 %), autres
Autres hydrocarbures halogénés	Industries, production d'aluminium

Observatoire de l'énergie.

RÉPONSES AU CHANGEMENT CLIMATIQUE :
LE PROTOCOLE DE KYOTO

La conférence internationale réunie à Kyoto en 1997 a abouti à un accord mobilisant 171 pays dans le but de limiter les émissions de GES. L'objectif était de réduire de 5 % en moyenne les émissions par rapport au niveau de 1990, entre 2008 et 2012. Mais les pays en développement ne sont pas concernés, or les rejets de la Chine, l'Inde, le Mexique et le Brésil sont en augmentation. Dans les pays signataires du protocole, les industries et les diverses activités doivent réduire leurs rejets, mais aucun accord n'a été proposé pour les transports pourtant largement responsables des GES.

Le protocole conduit à mettre en œuvre trois mécanismes :
– des permis d'émission : il s'agit de vendre ou d'acheter des droits à émettre des GES. Ce sont des sortes de titres échangeables ou d'actions qui confèrent à leur détenteur un droit à polluer ;
– la mise en œuvre conjointe permet de financer des projets, forestiers ou industriels, qui ont pour objectif de stocker le carbone ou de réduire les émissions. La France finance ainsi la modernisation des centrales thermiques en Pologne ;
– le mécanisme de développement propre permet des investissements effectués par un pays développé dans un pays en développement. Si un pays riche contribue à la diminution des GES dans un pays en développement, les rejets devraient diminuer et le pays qui aura contribué à la réduction verra son quota augmenter d'autant.
Le protocole est entré en vigueur en 2005 après qu'il a été ratifié par la Russie. Sa mise en œuvre était conditionnée par la signature d'au moins 55 pays responsables de 55 % des émissions de CO_2 en 1990.

Le protocole présente cependant des limites. Les États-Unis et l'Australie ne l'ont pas signé. Les pays en développement ne sont soumis à aucune contrainte en matière de pollution. Les quotas ne concernent pas les activités tertiaires, pas davantage que les transports. En outre, la Russie et l'Ukraine peuvent émettre autant de GES qu'elles le faisaient en 1990. Or, à ce moment-là, la production industrielle était très polluante et leur possibilité de polluer reste donc considérable aujourd'hui encore.
Les pays émergents n'envisagent guère de réduire leur utilisation de combustibles fossiles. Selon eux, cela reviendrait à mettre en question leur développement naissant. Dans les pays riches, la réduction des rejets de GES conduirait à modifier les modes de vie, ce qui aujourd'hui encore serait difficilement accepté.
Les engagements du protocole seront difficiles à tenir. Les rejets du Japon sont en augmentation, comme dans beaucoup de pays européens sauf en France, au Royaume-Uni et en Suède. La Chine a augmenté considérablement ses rejets en 2007. Ses

émissions ont dépassé celles des États-Unis. L'objectif de diviser par quatre les rejets de GES d'ici à 2050 paraît bien incertain.

La question se pose également de savoir comment faire «évoluer» le protocole en 2012. Les experts sont d'accord pour redéfinir les quotas afin de mieux intégrer les pays du Sud, notamment les pays émergents. L'échec du sommet de Copenhague en décembre 2009 montre les difficultés pour parvenir à un accord global (opposition de la Chine et des États-Unis).

Parmi les réponses aux inquiétudes suscitées par le changement climatique, l'une d'elles consiste à promouvoir des énergies propres. Le nucléaire a retrouvé une certaine légitimité, mais continue à poser nombre de questions (sécurité des installations, gestion des déchets). Beaucoup de «plans climat» préparés à l'échelle locale, notamment en Europe et en France, fournissent des résultats encourageants. Le développement des énergies renouvelables est une réponse indispensable à laquelle s'ajoutent les économies d'énergie.

LES RÉPONSES EUROPÉENNES ET FRANÇAISES

L'Union européenne, dans le cadre du protocole de Kyoto, s'est engagée à réduire globalement d'ici à 2012 ses émissions de GES de 8 % par rapport à leur niveau de 1990. En vertu d'un «accord de partage de la charge», les États membres de l'Union (à l'exception des nouveaux) se sont réparti cette obligation globale (dite «bulle européenne») en fonction de leurs spécificités socioéconomiques. Ainsi, l'Allemagne doit diminuer ses émissions de 21 % tandis que l'Espagne est autorisée à les augmenter de 15 %. La France doit, elle, veiller à les stabiliser.

L'Union européenne a établi des objectifs à plus long terme lors du Sommet européen de mars 2007 : une réduction des émissions de 15 à 30 % d'ici à 2020 et de 60 à 80 % d'ici à 2050 (voir p. 183, Plan climat : quelques réseaux de villes européennes). Jusqu'en 2005, la politique de lutte contre le changement climatique au sein de l'Union reposait essentiellement sur les plans nationaux, rendus contraignants par la signature du protocole de Kyoto.

Plusieurs programmes nationaux de lutte contre l'effet de serre ont vu le jour. Ainsi, pour la période 1990-2000, afin d'atteindre l'objectif de maintien en 2000 des émissions de GES à leur niveau de 1990, la France a fourni à la Commission européenne, dès mars 1993, les «premiers éléments pour un programme français de lutte contre l'effet de serre». Puis, en février 1995, un «premier programme national de prévention du changement de climat» a été conçu et présenté dans la «première communication nationale à la Convention-cadre sur le climat». En novembre 1997, un deuxième plan a été élaboré («seconde communication nationale à la Convention-cadre sur le climat»). Les mesures alors proposées ont ensuite été renforcées, avant la conférence de Kyoto, par les décisions prises lors du conseil des ministres du 26 novembre 1997. Par la suite, les engagements pris à Kyoto par l'Union européenne, d'une part, et la répartition de la charge au sein de l'Union européenne, d'autre part, ont nécessité la mise en œuvre d'un nouveau programme national. Cette décision a été prise par la Commission interministérielle de l'effet de serre réunie le 27 novembre 1998 sous la présidence du Premier ministre. Le Programme national de lutte contre le changement climatique (PNLCC) a vu le jour en 2000. D'autres plans existent, tel le Plan national habitat, construction et développement durable (PNHCDD).

Le plan climat. Le gouvernement français a lancé en juillet 2004 le plan climat 2004-2012, premier plan complet définissant des actions nationales de prévention du changement climatique qui remplace et se fonde sur les précédents. Sa mise en œuvre est le résultat d'une double constatation : d'une part, seulement 10 % des mesures incluses dans le PNLCC ont été réellement mises en œuvre ; d'autre part, le rôle des collectivités locales dans le PNLCC est négligé par rapport à leur pouvoir d'action sur les émissions.

Le plan climat 2004-2012 permet la transposition des directives européennes et définit différents axes pour améliorer la protection de l'environnement en France. Les mesures proposées devraient permettre une économie de 72 millions de tonnes de CO_2 chaque année.

Ce texte décline des mesures dans tous les secteurs de l'économie et de la vie quotidienne des Français afin de ne plus augmenter les émissions de CO_2, voire de les réduire dans la perspective d'une division par quatre des émissions à l'horizon 2050. Il concerne les transports, l'habitat, l'agriculture, l'industrie, l'énergie, les déchets…

Plusieurs éléments ont encore fait évoluer le contexte français depuis l'élaboration du plan climat en 2004 : les changements du prix de l'énergie, l'entrée en vigueur du protocole de Kyoto et l'émergence d'un marché mondial du CO_2. Selon les dernières prévisions, les émissions de la France seraient en 2010 à leur niveau de 1990. Le bilan 2005 du plan climat a montré la nécessité de poursuivre les actions engagées en mettant l'accent sur les transports et le logement.

Les objectifs du Grenelle de l'environnement (2008) viennent compléter et renforcer le plan. La France envisage d'instaurer une taxe sur l'utilisation du charbon qui, avec la hausse du prix du pétrole, peut redevenir rentable ; de mettre en place un crédit d'impôt pour améliorer l'efficacité énergétique des vieux logements et de renforcer de 15 % l'efficacité énergétique des nouveaux bâtiments. Elle se propose de multiplier par deux les budgets (200 millions d'euros) alloués à la production de chaleur d'origine renouvelable, notamment grâce à la création de 1 000 chaufferies à bois ; d'encourager les bonnes pratiques environnementales dans l'agriculture ; de doubler le nombre d'espaces Info-Énergie pour répondre aux

PLAN CLIMAT : QUELQUES RÉSEAUX DE VILLES EUROPÉENNES

Mer de
Norvège

Växjö
Villes pour le climat
24 villes suédoises
Depuis 1998

Mer
Baltique

Londres
C40
40 métropoles mondiales
Depuis 2005

Mer du
Nord

Francfort
Alliance climat
1 200 collectivités locales
surtout en Autriche, Allemagne et Italie

Océan
Atlantique

Besançon
Énergie-Cités
plus de 140 villes
Depuis 1990

Fribourg-en-Brisgau
*ICLEI : Campagne pour la
protection du climat*
800 villes dont 160 en Europe
Depuis 1993

Province de Bologne
Micro Kyoto
29 municipalités adhérentes
Depuis 2002

Mer Noire

Madrid
*Villes espagnoles
pour le climat*
140 villes
Depuis 2005

Mer Méditerranée

500 km

questions des citoyens sur les économies d'énergie et pour informer les professionnels comme les PME. Il est nécessaire aussi d'augmenter le budget de communication sur le changement climatique de 3 millions d'euros par an.

Une taxe carbone destinée à changer les pratiques des industriels et
des particuliers devait être appliquée courant 2010, mais elle ne fait pas l'unanimité (elle a été rejetée fin 2009 par le Conseil constitutionnel). Trop faible pour les
uns (mouvements écologistes), elle est considérée comme un impôt supplémentaire très inégalitaire et inutile pour les autres.
Selon le Réseau Action Climat-France, une structure regroupant différentes ONG
environnementales, «depuis la sortie du plan climat, les avancées sont lentes et
laborieuses. Cette actualisation entérine la politique des très petits pas qui ne semble guère à la hauteur de l'enjeu climatique».

Les plans climat régionaux. Le plan climat connaît depuis 2004 des
adaptations régionales. Par exemple, la Région Aquitaine a adopté le «plan climat
aquitain». Ce texte décline 48 mesures qui, avec un financement de 100 millions
d'euros, doivent faire économiser 2,5 millions de tonnes de CO_2 à la région. Il
concerne notamment le transport durable et l'urbanisme, les bâtiments, l'industrie, les déchets et la production d'énergies renouvelables.

LUTTER CONTRE LA POLLUTION ATMOSPHÉRIQUE : L'EXEMPLE DE PARIS

Les villes offrent des aspects climatiques spécifiques ; elles sont toujours plus chaudes que la campagne environnante. Cet « îlot de chaleur » urbain s'explique par la présence d'habitations en pierres, briques, béton, qui s'échauffent plus vite que ne le fait une couverture végétale ou un plan d'eau. En outre, les habitants et leurs activités (industrie, chauffage, transports) dégagent de la chaleur. On peut considérer que, dans les villes situées aux latitudes moyennes, la température est globalement supérieure de 0,5 à 0,8 °C à ce qu'elle est dans la campagne voisine ; cet écart peut atteindre 1,1 à 1,6 °C, notamment en hiver.

L'îlot de chaleur est aussi accentué par certains types de polluants atmosphériques. En effet, en raison des activités qui la caractérisent, la ville est souvent un espace dont l'atmosphère est polluée par des particules et des gaz rejetés par les activités industrielles, les véhicules de transport...

Quelle est la situation en France, et plus particulièrement à Paris ? Quels sont les moyens et les acteurs de la lutte contre la pollution ?

UNE POLLUTION GLOBALEMENT EN DIMINUTION EN VILLE

· · · · · · · · · · · · · · ·

En dépit du discours généralisé et répété selon lequel la pollution urbaine ne cesserait d'augmenter, la pollution de l'air de la plupart des villes européennes a fortement diminué par rapport aux décennies précédentes. Au cours des ans, les quantités de dioxyde de soufre (SO_2) émises en France se sont beaucoup réduites en raison de la baisse de la teneur en soufre des produits pétroliers, de l'utilisation d'hydrocarbures moins riches en soufre, de la diminution, voire de la disparition, d'activités polluantes telles que la sidérurgie, de la diminution du nombre de centrales thermiques au charbon. Le remplacement des centrales thermiques au charbon ou au fioul par les centrales nucléaires est une autre explication.

**Évolution de la concentration maximale journalière
pour le poste de mesure le plus chargé (en µg de SO_2 par m^3)**

Ville/Année	1978	1992
ROUEN	1 321	620
LE HAVRE	1 555	350
MARSEILLE	797	120
PARIS	777	180

A. Salaün, in *Écologie et progrès*, 2004.

En 1992, le chiffre demeure très élevé à Rouen, mais il est pour les autres villes deux à six fois moins important qu'il ne l'était en 1976. Depuis 1992, des progrès ont encore été réalisés.

**Concentration d'O_3, de SO_2 et de fumées noires :
comparaison entre Paris et Mexico (fin du xxe siècle)**

Moyennes annuelles	O_3	SO_2	Fumées noires
Paris	15 µg/m^3	25 µg/m^3	35 µg/m^3
Mexico	120 µg/m^3	170 µg/m^3	90 µg/m^3

A. Salaün, *op. cit.*

Les sources de pollution sont multiples, certaines sont fixes (industrie, chauffage...), d'autres mobiles (effets de la circulation). Des gaz polluants sont diffusés par les activités urbaines, c'est le cas du dioxyde de soufre (SO_2, dégagé par la combustion de sources d'énergie riches en soufre), du monoxyde d'azote (CO), du dioxyde d'azote (NO_2, pollution automobile). L'ozone (O_3) est un indicateur de pollution « photochimique », laquelle résulte de l'action du rayonnement solaire agissant sur des polluants chimiques présents dans l'atmosphère (oxydes d'azote NO(X) et composés organiques volatiles, COV). Les véhicules laissent échapper des oxydes d'azote qui réagissent avec les hydrocarbures présents dans l'atmosphère d'origine naturelle et anthropique. La quantité d'ozone des basses couches de l'atmosphère est en moyenne de 0,4 ppm ; quand le *smog* se produit, elle peut atteindre 12 ppm. Ce *smog* est fréquent dans les grandes villes en été.

Des particules (de silice, d'amiante, des pollens, des poussières...) sont également présentes dans l'atmosphère, diffusées par des activités diverses : véhicules, combustions, travaux, végétaux... Les poussières dues aux activités humaines de type combustion des hydrocarbures ou du charbon sont dites « fumées noires ». Ce sont essentiellement de fines particules de carbone.

QUELS SONT LES POLLUANTS ET LES MESURES DE LA POLLUTION ATMOSPHÉRIQUE ?

. . . .

Quatre polluants : le dioxyde de soufre (SO_2), le dioxyde d'azote (NO_2), les particules en suspension et l'ozone font l'objet d'un suivi et de mesures régulières.

En présence de particules d'eau, le dioxyde de soufre forme de l'acide sulfurique qui contribue au phénomène des pluies acides et peut provoquer la dégradation de la pierre et de certains matériaux. C'est un gaz irritant. Le dioxyde d'azote intervient essentiellement dans le processus de formation d'ozone dans la basse atmosphère. Il peut entraîner une gêne respiratoire. Les particules (sulfates, métaux lourds, hydrocarbures...) affectent les voies respiratoires, notamment chez l'enfant et à des concentrations relativement basses. L'ozone est un gaz agressif. Il provoque, en cas d'exposition prolongée à de fortes concentrations, toux et altération pulmonaire, surtout chez les asthmatiques. Ses effets sont majorés par l'exercice physique et sont variables selon les individus. Il entraîne des nécroses aux feuilles des végétaux.

Tous les polluants « primaires » émis sont dilués, transportés ou transformés en fonction des conditions météorologiques : la pluie « lessive » l'atmosphère, le vent disperse les polluants. À l'inverse, la stabilité atmosphérique, l'absence de précipitations et de vent sont des conditions météorologiques défavorables empêchant la dispersion des polluants et pouvant conduire à des épisodes de pollution intense souvent nommés « pics de pollution ».

En été, l'ensoleillement, certains rayons ultraviolets (UV) et la chaleur favorisent l'apparition des polluants secondaires dits « photochimiques » évoqués plus haut. Ainsi, un beau temps, calme chaud et ensoleillé, est néfaste à la qualité de l'air ; un temps venteux est plus favorable ! Lors de l'été 2003 marqué par la canicule, une forte augmentation de la pollution a été enregistrée à Paris, liée à l'ozone.

La pollution urbaine n'est pas indépendante de la production de gaz à effet de serre et donc de ses conséquences planétaires. Une récente étude conduite par Airparif (réseau de surveillance de la qualité de l'air en Île-de-France) a montré qu'entre 2002 et 2007 le renouvellement du parc automobile avait permis la diminution des rejets d'oxydes d'azote sur cette période de manière notable. Les véhicules sont mieux adaptés pour une moindre pollution. En revanche, le renouvellement du parc a souvent été effectué en choisissant des véhicules plus gros, munis de climatiseur, de sorte que cette situation s'accompagne d'une augmentation des rejets de CO_2. Il ne suffit pas de moderniser le parc automobile, il faut sans doute aller à la fois vers une réduction de la circulation et vers des véhicules mieux adaptés, sans ou à faible rejet de polluants quels qu'ils soient.

Les effets des polluants nécessitent que soit précisée et suivie leur présence dans l'atmosphère. Des réseaux d'enregistrement des pollutions existent à Paris, gérés par Airparif. En fonction du type et du taux de pollution, des mesures sont prises par les pouvoirs publics pour faire connaître le risque. Au-delà de certains seuils, des mesures plus radicales sont mises en œuvre.

ÎLE-DE-FRANCE : L'ÎLOT DE CHALEUR URBAIN

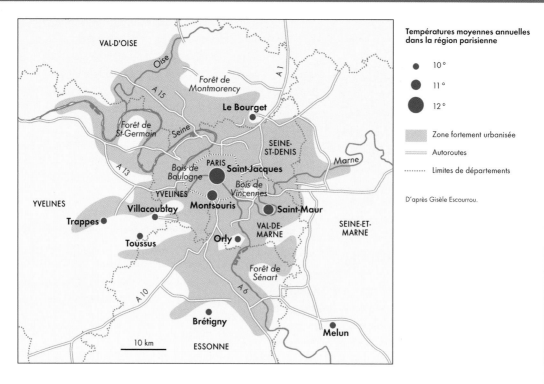

Températures moyennes annuelles dans la région parisienne

- 10°
- 11°
- 12°

Zone fortement urbanisée

Autoroutes

Limites de départements

D'après Gisèle Escourrou.

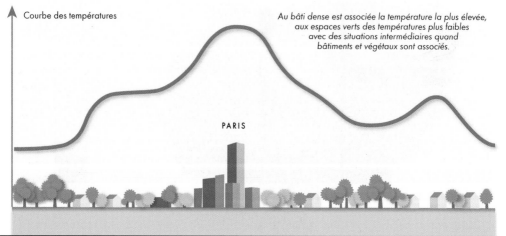

Courbe des températures

Au bâti dense est associée la température la plus élevée, aux espaces verts des températures plus faibles avec des situations intermédiaires quand bâtiments et végétaux sont associés.

PARIS

Moyennes mensuelles de dioxyde d'azote (NO_2) en Île-de-France, en 2008

en µg/m3

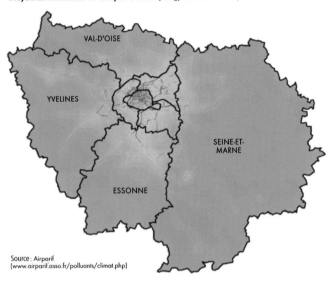

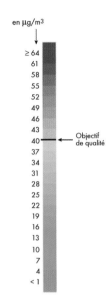

≥ 64
61
58
55
52
49
46
43
40 ← Objectif de qualité
37
34
31
28
25
22
19
16
13
10
7
4
< 1

Source: Airparif
(www.airparif.asso.fr/polluants/climat.php)

Indices ATMO en Île-de-France, le 6 janvier 2010, mesuré par Airparif

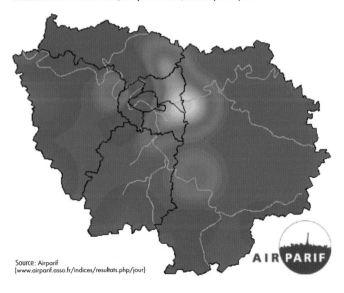

Indices ATMO

10 Très Mauvais
9 Mauvais
8 Mauvais
7 Médiocre
6 Médiocre
5 Moyen
4 Bon
3 Bon
2 Très bon
1 Très bon

Source: Airparif
(www.airparif.asso.fr/indices/resultats.php/jour)

La mesure de la qualité de l'air utilise un indice (Atmo) calculé à partir des relevés effectués dans certaines stations de suivi de la ville. Cet indice prend en compte différents polluants liés aux activités industrielles et de transports notamment. Pour les gaz (dioxyde de soufre, dioxyde d'azote et ozone), la concentration maximale horaire du jour où est effectué le relevé est prise en compte pour chaque site ; dans le cas des particules, c'est la concentration moyenne journalière qui est retenue. L'indice Atmo obtenu est diffusé dans les médias chaque jour et indiqué sur les panneaux d'information en ville.

Le déclenchement de la procédure d'urgence comprend deux niveaux :
– un niveau « d'information et de recommandations » qui regroupe des actions d'information de la population et de diffusion de recommandations sanitaires destinées aux catégories de la population particulièrement sensibles, et de recommandations relatives à l'utilisation des sources mobiles de polluants, responsables

Seuils de déclenchement d'information et d'alerte du public en Île-de-France en cas de pollution

	Dioxyde d'azote NO$_2$	Ozone O$_3$	Dioxyde de soufre SO$_2$	Particules
Niveau d'information et de recommandations	200 µg/m^3	180 µg/m^{3*}	300 µg/m^{3*}	80 µg/m^3 en moyenne sur 24 heures écoulées
Niveau d'alerte	400 µg/m^{3*} ou 200 µg/m^3 si le processus d'information et de recommandation a été déclenché la veille et le jour même et si les prévisions font craindre un nouveau risque de dépassement pour le lendemain	Premier seuil 240 µg/m^3 dépassés pendant 3 heures consécutives Deuxième seuil 300 µg/m^3 pendant 3 heures consécutives Troisième seuil 360 µg/m^3	500 µg/m^3 dépassés pendant 3 heures consécutives	125 µg/m^3 en moyenne sur 24 heures écoulées

* Données horaires

de l'élévation de la concentration de la substance polluante potentiellement dangereuse ;

– un niveau « d'alerte » qui regroupe des mesures de réduction ou de suspension des activités à l'origine des pollutions. Cela concerne éventuellement la circulation automobile, la réduction des activités industrielles.

La pollution atmosphérique a fait l'objet de beaucoup d'attention depuis la seconde moitié du xxe siècle. La législation et les réglementations se sont multipliées.

LA RÉGLEMENTATION ET LES OUTILS POUR UNE MAÎTRISE DE LA POLLUTION

. . . .

L'intérêt porté à la pollution atmosphérique est déjà ancien. Les premières démarches sont probablement liées à la situation de Londres en 1952 et à la nécessité de prendre des mesures urgentes pour réduire le nombre de victimes du *smog* dans la capitale anglaise. La situation de Londres a probablement favorisé la mise en œuvre d'une politique de prise en compte des pollutions atmosphériques.

La loi n° 96-1236 du 30 décembre 1996 sur l'air et l'utilisation rationnelle de l'énergie (Laure) précise les seuils d'alerte qui correspondent à des niveaux d'urgence en raison de la forte concentration de produits polluants. Ces seuils atteints, les effets sur la santé des populations peuvent être considérables. La loi sur l'air reconnaît à chacun le droit de respirer un air qui ne nuise pas à sa santé. La loi porte sur quatre points : la surveillance de la qualité de l'air ; la protection de l'atmosphère et

La politique de lutte contre la pollution atmosphérique à Paris

1956	Installation du premier réseau de surveillance de la pollution urbaine par le laboratoire d'hygiène de la Ville de Paris
1972	Mise en place du réseau de surveillance de la pollution automobile par le laboratoire central de la préfecture de police
1973	Mise en place par EDF du premier réseau de surveillance automatique permettant le contrôle de l'impact des centrales électriques d'Île-de-France (25 stations)
1976	Définition d'une zone de protection spéciale à Paris. Pendant la période d'hiver, il y a obligation de n'utiliser que des combustibles peu soufrés, et encore moins chargés en soufre quand se produit une période de forte pollution
1979	Mise en place du réseau Airparif intégrant en partie les réseaux existants et ajoutant de nouvelles stations multipolluants (75)
1992-1995	Création de l'indice de qualité de l'air qui deviendra l'indice Atmo
1994	Mise en place de la procédure d'information et d'alerte du public

l'organisation des déplacements urbains ; l'utilisation d'énergies moins polluantes ; la concertation au niveau régional pour élaborer une politique moins polluante. Plusieurs réponses et outils ont vu le jour.

– *Le PRQA ou plan régional de la qualité de l'air* en Île-de-France consiste à fixer les orientations à moyen et long terme permettant de prévenir ou de réduire la pollution atmosphérique afin d'atteindre les objectifs de la qualité de l'air définis dans ce même plan. Sa réalisation et son suivi sont le fait du conseil régional par la loi relative à la démocratie de proximité du 27 février 2002. Le plan s'appuie sur la mesure de la qualité de l'air et les inventaires d'émission. Il est un outil de planification, d'information et de concertation à l'échelon régional. Il fixe des orientations permettant de prévenir ou de réduire la pollution atmosphérique ou d'en atténuer les effets. Révisé tous les cinq ans, ce plan doit être soumis à la consultation publique. Il définit des mesures concrètes.

– *Le PPA, plan de protection de l'atmosphère*, est obligatoire pour les villes de plus de 250 000 habitants. Ce plan a pour objectif de prévoir, pour ces agglomérations ou pour les zones très polluées, à l'issue d'une concertation, des mesures contraignantes qui seront prises par chaque autorité afin de veiller au respect des valeurs limites ainsi que des mesures d'urgence en cas de risque de dépassements des seuils d'alerte. Ainsi, en Île-de-France, le PPA préconise le développement et l'amélioration de la qualité (fiabilité, sécurité, propreté) des transports en commun, notamment de banlieue à banlieue ; l'amélioration de l'accessibilité des aéro-ports par les transports en commun (tarification, qualité de service, lignes nouvelles) ; le développement des parcs de stationnement en limite d'agglomération. Il s'agit de favoriser chez chaque Francilien et dans chaque entreprise/administration francilienne un comportement écocitoyen. Approuvé par arrêté interpréfectoral du 7 juillet 2006, le plan comporte une série de mesures destinées à réduire la pollution atmosphérique (véhicules, installations de chauffage, installations industrielles...) au-delà de la réglementation nationale. Ce plan a été préparé et mis en œuvre par la Direction régionale de l'industrie, de la recherche et du développement (Drire) en collaboration notamment avec d'autres acteurs (préfecture de police, Airparif). Le plan de déplacement urbain (PDU) constitue aussi un auxiliaire important puisqu'il définit les principes de l'organisation des transports de personnes et de marchandises, de la circulation et du stationnement dans le périmètre de transports urbains, afin de rechercher un équilibre durable entre les besoins en matière de mobilité et de facilité d'accès et la protection de l'environnement et de la santé.

– *La taxe générale sur les activités polluantes (TGAP)*, qui relève du principe du pollueur-payeur, concerne diverses pollutions : air, eau, déchets. En ce qui concerne la pollution de l'air, elle est payée par les installations soumises à autorisation qui atteignent une puissance thermique cumulée supérieure à 20 MW, des émissions supérieures à 150 tonnes par an de dioxyde de soufre (SO_2) et/ou d'oxydes d'azote, d'acide chlorhydrique, de composés organiques volatils (COV), ainsi que par les

unités d'incinération des ordures ménagères (UIOM) traitant plus de 3 tonnes par
heure. Toutefois, elle ne concerne pas les
transports et son montant n'est pas très
dissuasif.

La gestion de l'air mobilise de nombreux
acteurs, nous n'en citerons que quelques-
uns : l'Agence de l'environnement et de la
maîtrise de l'énergie (Ademe), établissement public à caractère industriel et com-
mercial placé sous la tutelle du ministre
en charge de l'Environnement ; Airparif,
organisme agréé par le ministère en charge
de l'Environnement pour la surveillance
de la qualité de l'air en Île-de-France ; la
Direction régionale de l'industrie, de la
recherche et de l'environnement (Drire),
qui contrôle les rejets industriels. Les relations pollution et santé sont le fait de l'Observatoire régional de la santé et de son

programme Erpurs mis en place à la suite
de l'épisode de pollution intervenu en janvier et février 1989.

- - - - - - - - - - - - - -

EN CONCLUSION

- - - - - - - - - - - - - -

Aujourd'hui, tout un arsenal de dispositifs
mis en place progressivement vise à
contrôler, à suivre et à réduire la pollution
à Paris. La gestion de la qualité de l'air
mobilise, à côté des acteurs institutionnels,
les acteurs économiques et les citoyens.
Elle est moins coercitive qu'à Londres où
une zone à faibles émissions polluantes,
la Low Emission Zone (LEZ), a été délimitée.

11

IDÉES REÇUES, PIÈGES À ÉVITER

→   Le pétrole sera épuisé dans les années à venir,
        entre 2015 et 2030.

→   Les énergies fossiles sont inépuisables.

→   En l'état actuel de la technique,
        les énergies renouvelables peuvent totalement
        remplacer les énergies fossiles.

QUELS SONT LES ENJEUX ÉNERGÉTIQUES POUR UN DÉVELOPPEMENT DURABLE ?

L'énergie est un élément fondamental de l'histoire de l'humanité depuis la découverte du feu. Bien plus tard, l'utilisation du charbon, de l'électricité, du pétrole a contribué au développement économique et à l'amélioration de la condition de vie des hommes. Cependant, les énergies fossiles ne sont pas sans effet sur l'environnement; elles sont responsables de pollutions et de l'augmentation des gaz à effet de serre (GES) dans l'atmosphère. En outre, les principales formes d'énergies (pétrole, charbon, uranium) non renouvelables posent la question de la poursuite du développement des sociétés fondées sur leur usage. Il s'agit donc d'envisager d'autres sources d'énergie et de nouveaux modes de consommation plus économes pour aller vers un développement durable.

• Peut-on évaluer les réserves d'énergies fossiles ?
• Les énergies fossiles sont-elles à l'origine d'une crise écologique d'ampleur mondiale ?
• Les énergies renouvelables constituent-elles une solution de remplacement ?

L'IMPORTANCE DES ÉNERGIES DANS LE DÉVELOPPEMENT ET LES INCERTITUDES SUR LES RÉSERVES

Le développement des sociétés humaines a toujours été commandé par le besoin d'énergie *(voir p. 199, Les énergies fossiles dans le monde: production, flux et consommation)*. Le charbon a été à l'origine de la première révolution industrielle, cette énergie a contribué à la révolution des transports. De puissantes régions industrielles ont ainsi vu le jour à l'emplacement des mines de charbon (Ruhr, pays de Galles, nord de la France). Le pétrole constitue la base de la société actuelle. Il est utilisé dans tous les secteurs de l'économie, soit pour produire de l'énergie, soit comme matière première (industrie chimique). Les énergies évoquées, indispensables pour l'économie mondiale ne sont pas renouvelables. Quelles sont encore les réserves disponibles?

Pour l'Agence internationale de l'énergie (AIE), les réserves prouvées de pétrole, autrement dit les réserves techniquement exploitables et rentables économiquement, seraient de 1 200 milliards de barils, mais d'autres sources avancent le chiffre de 780 milliards. Le ratio réserves prouvées sur production annuelle de pétrole brut est estimé aujourd'hui, selon Jean Percebois (2007), à 44 ans à l'échelle mondiale. Ce même auteur rappelle que ce ratio était de 32 ans en 1973, 41 en 1960, 22 en 1950 et en 1973: «D'aucuns n'hésitaient pas à affirmer que dans trente ans les réserves seraient épuisées.» Pour certains chercheurs, la production mondiale du pétrole, dans un demi-siècle, sera du même ordre de grandeur qu'aujourd'hui alors même que la demande devrait continuer à augmenter.

Un prix élevé du pétrole permet aux sociétés pétrolières de disposer de moyens suffisants pour exploiter des gisements parfois difficiles d'accès et considérés longtemps comme non exploitables pour des raisons financières et techniques (pétrole très profond ou de type schistes bitumineux). La notion de réserves s'inscrit donc dans un contexte politique et financier. Quoi qu'il en soit, on peut considérer que, globalement, la diminution de cette ressource non renouvelable est la règle. Des zones d'exploitation déclinent, telles celles de la mer du Nord ou des gisements américains. De nouvelles découvertes sont faites, notamment en mer Caspienne et dans les hautes latitudes (Sibérie, Arctique), dans des conditions d'exploitation difficiles.

Les réserves de gaz naturel posent les mêmes questions que le pétrole. On admet généralement qu'en l'état actuel des ressources prouvées la durée de production pourrait être de 65 ans. Elle serait de 200 ans pour le charbon.

L'électricité constitue une source d'énergie majeure qui peut être d'origine non renouvelable. Environ 67 % de l'électricité produite dans le monde résulte de l'usage des énergies fossiles (charbon, pétrole, gaz) et 13 % relève du nucléaire.

L'énergie nucléaire doit être considérée comme une énergie non renouvelable puisqu'elle dépend de combustibles dont les quantités ne sont pas illimitées sur la planète. Au sein de l'Union européenne, l'énergie nucléaire fournit un peu plus de 30 % de l'électricité, avec 147 réacteurs installés. Vingt-sept unités sont actuellement en construction à travers le monde. D'ambitieux programmes nucléaires existent au Japon, en Corée du Sud et en Chine. En Europe, la France et la Finlande construisent des réacteurs performants de type EPR, moins consommateurs de combustibles, considérés comme plus sûrs et qui ne rejetteraient que de faibles quantités de produits liquides et gazeux dans l'environnement. De nombreux pays en développement souhaiteraient construire des centrales pour produire de l'énergie, mais le possible détournement des programmes civils à des fins militaires rend difficile la réalisation de tels projets.

DES RÉSERVES INÉGALEMENT RÉPARTIES, SOURCE DE TENSIONS GÉOPOLITIQUES, VOIRE DE CONFLITS

Les énergies fossiles sont très inégalement réparties à la surface de la planète. L'évaluation des réserves varie selon les sources.

Charbon	Pétrole	Gaz naturel	Uranium
États-Unis 27,1 %	Arabie Saoudite 21,9	Russie 26,3	Australie 26,5 %
Russie 17,3 %	Iran 11,4 %	Iran 15,5 %	Kazakhstan 17,2
Chine 12,6 %	Russie entre 6 et 15 % selon les spécialistes	Qatar 14 %	Canada 12,3 %
Inde 10,2 %	Irak 9,5 %	Arabie Saoudite 3,9 %	Afrique du Sud 9,2 %
Australie 8,6 %	Koweït 8,4 %	Émirats arabes unis 3,3 %	Brésil 6,4 %
	Émirats arabes unis 8,1 %		

D'après B. Mérenne-Schoumaker, in *Le Développement durable*, sous la direction de Y. Veyret, Paris, Sedes, 2007.

LES ÉNERGIES FOSSILES : PRODUCTION, FLUX ET CONSOMMATION

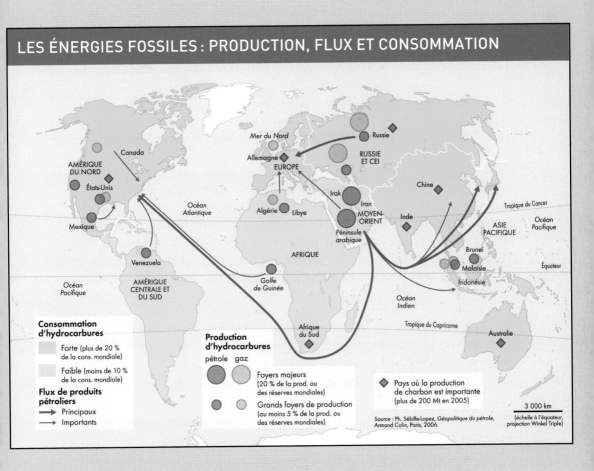

La carte montre les secteurs de production d'énergie fossile, le poids du Moyen-Orient pour le pétrole, du gaz pour la Russie. Elle montre aussi la localisation des États consommateurs : États-Unis, Europe, Japon, Chine. Bien des tensions peuvent résulter de cette situation qui fait dépendre de quelques gros producteurs l'économie d'un grand nombre de pays, et qui commande une large part de la géopolitique mondiale. Les flux d'hydrocarbures par bateau ou par pipeline et gazoduc vont des espaces de production vers les espaces de consommation. Les enjeux liés au passage des tubes sont considérables. Les conséquences de l'exploitation, du transport et de la transformation de ces produits doivent être analysées en termes de pollution et de risques technologiques.

Ainsi, plusieurs régions semblent avantagées, le Moyen-Orient et la Russie notamment, tandis que les grands pays consommateurs se situent en Europe, en Amérique du Nord, au Japon et de plus en plus dans les pays émergents, de sorte qu'existent de grands flux de pétrole, de gaz ou de charbon sur la planète et que ces énergies constituent des enjeux géopolitiques majeurs.

La question du mal-développement ou du développement illusoire est posée par la manne extraordinaire générée par les exportations d'hydrocarbures dans certains pays. Être riche en ressources énergétiques, notamment pétrolières, n'est pas un gage de développement, comme le montre l'exemple des pays africains pétroliers. Dans un rapport sur l'évaluation des industries extractives présenté à la Banque mondiale en 2004, Emil Salim, ancien ministre de l'Environnement du gouvernement indonésien, se demande si « le pétrole n'est pas une source d'appauvrissement […], une malédiction » au vu des conflits qu'il peut susciter (en Afrique et au Moyen-Orient), ce qui constitue un frein au développement durable.

LES ÉNERGIES FOSSILES, SOURCE DE CATASTROPHES ET DE RISQUES ENVIRONNEMENTAUX, LIMITES AU DÉVELOPPEMENT DURABLE

Les énergies fossiles sont associées à de grandes catastrophes qui ont fortement marqué les esprits : accidents de Courrières, de Feyzin, de Mexico. L'énergie nucléaire est aussi source de crises graves (Tchernobyl). La rupture de barrages hydroélectriques peut générer des dégâts et des victimes (barrage de Malpasset dans le Var). L'usage du charbon et du pétrole est responsable du rejet de gaz à effet de serre dans l'atmosphère. Les énergies non renouvelables se trouvent donc au cœur d'une situation de crise considérée comme majeure en termes écologiques.

L'exploitation du charbon a toujours été source de risques. Le travail dans la mine, surtout au début de la grande période d'extraction, était très dangereux. L'inhalation de poussières de charbon avait de graves conséquences sur la santé des mineurs qui subissaient aussi les effondrements de galeries, les incendies, les explosions de grisou. La catastrophe de Courrières le 10 mars 1906 causa la mort de plus de 1 000 mineurs. L'exploitation souterraine des veines de charbon comporte d'autres risques, comme l'apparition de fontis (affaissements instantanés du sol). Les phénomènes de subsidence provoquent des déformations lentes de la surface du sol, responsables de désordres pour les constructions.

Les activités de stockage et de transformation du pétrole ou du gaz ne sont pas sans danger. Les risques liés au stockage des hydrocarbures sont multiples :

effets thermiques dus à la combustion, incendies pouvant se produire au contact d'une flamme ou d'un point chaud, effets mécaniques dus à un phénomène de surpression lui-même lié à une explosion pouvant résulter d'un mélange de produits ou de la libération brutale de gaz.

Certaines régions où sont concentrées de nombreuses activités de raffinage, de stockage et de transformation sont particulièrement exposées à ces risques industriels, c'est le cas en France de la région de Fos-sur-Mer, de la Basse-Seine (Rouen-Le Havre) ou de Dunkerque.

Les énergies sont source de pollutions qui affectent les composantes du géosystème (ensemble de l'hydrosphère, de la biosphère, de l'atmosphère et de la lithosphère) et les populations. Il s'agit de pollutions chroniques ou diffuses (rejets liés au chauffage, aux transports...).

Les pluies acides résultent en partie du rejet dans l'atmosphère de soufre et d'oxydes d'azote provenant de la combustion du pétrole ou du charbon. La combustion du charbon libère entre 1 et 8 % de soufre, 3 % en moyenne pour la houille, près du double pour le lignite. Les activités de raffinage et la pétrochimie sont également à l'origine d'émissions de polluants (dioxyde de soufre et oxydes d'azote notamment).

Dans le passé, à Londres, de telles émissions généraient la présence de *smog*, brouillard photochimique contenant de l'acide nitrique et de l'acide sulfurique qui, associés aux gouttelettes d'eau composant les nuages, retombent sous la forme de pluies acides. En décembre 1954, Londres a connu un épisode de *smog* de plusieurs jours, qui a provoqué 4 000 morts. À la suite de cette catastrophe, en 1956 et 1968, le gouvernement britannique a fait voter deux lois *Clean Air Acts*. La loi de 1968 propose de créer de grandes cheminées pour éviter la retombée des particules de soufre sur la ville. Or, plus la cheminée est haute et plus la dispersion des particules est large. Les pollutions se déplacent avec les masses d'air et les retombées peuvent se manifester à plusieurs centaines de kilomètres de leur point de départ. Les pluies acides qui affectent la Scandinavie viennent essentiellement d'Angleterre. Ces pluies acides ont été, dans les années 1980, rendues responsables du dépérissement des forêts d'Europe considérées alors comme devant disparaître en quelques décennies.

Après un très fort intérêt porté à l'état des forêts et des discours alarmants et catastrophistes, le dépérissement des arbres considéré initialement comme exclusivement lié aux pluies acides a été attribué à d'autres causes. Les épisodes de sécheresse ont en effet été jugés largement responsables de la situation, l'intérêt suscité par les pluies acides est retombé et les forêts européennes ont retrouvé un état satisfaisant. Il n'en reste pas moins que les pluies acides ont des effets négatifs sur les lacs, sur les roches y compris sur les constructions (monuments, etc.) dont la pierre est « rongée » par l'érosion.

En France et en Europe, les émissions acides ont fortement diminué depuis la fin des années 1990 car diverses mesures ont été prises comme la mise au point du pot catalytique ou les taxes dont les exploitants de centrales thermiques ont à s'acquitter. En France, les industries qui émettent du SO_2 doivent être déclarées à la préfecture ou sont soumises à l'autorisation des Directions régionales de l'industrie, de la recherche et de l'environnement (Drire) – loi de 1976 sur les installations classées pour la protection de l'environnement (ICPE).

Les activités pétrolières sont aussi source de pollutions, aussi bien sur terre qu'en mer. Des fuites peuvent se produire lors de l'exploitation offshore ; ainsi, le 3 juin 1979, en baie de Campeche dans le golfe du Mexique, une fuite de pétrole a soufflé la plate-forme de forage offshore Ixtoc1. La fuite n'a été arrêtée que le 23 mars 1980 et on estime entre 470 000 et 1 500 000 tonnes la quantité de pétrole qui s'est ainsi répandue dans la mer. La marée noire a touché le littoral du Mexique et du Texas.

Les activités de transport du pétrole peuvent générer des marées noires. En août 2006, 200 000 litres de fioul ont été déversés au large de l'île de Guimaras, aux Philippines, et le souvenir des marées noires survenues en Bretagne subsiste *(Amoco Cadiz)*. De tels accidents ont d'importants effets sur les littoraux (flore, faune, espaces touristiques, installations industrielles).

L'usage des énergies fossiles est aussi responsable du rejet de gaz à effet de serre additionnel à l'origine du changement climatique *(voir p. 172, Leçon 10)*.

Le nucléaire est source de dangers, comme en témoigne l'exemple de l'explosion de l'un des réacteurs de la centrale de Tchernobyl en Ukraine en 1986. Le stockage des déchets nucléaires est une source de risques pour les hommes et la nature. Il est en ce domaine difficile de disposer de diagnostics non polémiques, de sorte que bien des questions demeurent sans réponses. La France, le Japon, le Royaume-Uni, la Belgique et l'Allemagne retraitent les combustibles irradiés dans le but de recycler l'uranium et le plutonium et de ne conserver que des déchets ultimes. 96 % des combustibles utilisés sont recyclés ou mis en réserve dans des formations géologiques profondes avant d'être recyclés. Mais les fuites, voire des phénomènes explosifs, ne sont jamais à exclure. Le transport des produits nucléaires vers les centres de stockage est également source de risque. Les États-Unis, le Canada, la Finlande ou la Suède considèrent le combustible irradié comme un déchet ultime directement stocké, ce qui pose des problèmes de lieu de stockage, de volumes stockés et également de sécurité.

Ainsi, les énergies fossiles, ressources non renouvelables, dont les effets sur l'environnement à différentes échelles spatiales et temporelles sont considérables, ne peuvent continuer à être le fondement du développement des pays riches et devenir les bases du développement des pays émergents. Mais peut-on se passer totalement de ces sources d'énergies ? Quelle place occupent les énergies renouvelables ?

LES ÉNERGIES RENOUVELABLES AUJOURD'HUI

L'énergie éolienne, ou énergie liée à l'action du vent, est inépuisable. Son utilisation dépend de la fréquence du vent, de son intensité et de sa régularité. La force des vents a été anciennement utilisée pour la navigation ; l'exploitation de cette force par des moulins à vent est aussi très ancienne. Actuellement, cette énergie qui sert à fabriquer de l'électricité ne pollue pas. Mais son usage est limité car, dans bien des cas, le vent ne souffle pas de manière régulière.

Fin 2005, l'énergie éolienne a fourni dans le monde l'équivalent de l'énergie produite par la filière nucléaire française. Certains pays sont bien équipés, comme l'Allemagne, l'Espagne, les États-Unis. La pose des éoliennes ne fait pas l'unanimité pour des raisons paysagères ou en raison d'autres nuisances (bruit, etc.).

L'énergie solaire sert à la production d'électricité et pour le chauffage. On distingue l'énergie solaire photovoltaïque et l'énergie solaire thermique. La première résulte de la transformation directe de l'énergie solaire en électricité grâce à des cellules photovoltaïques assemblées en panneaux. C'est une source d'électricité très utile aux pays pauvres. Son importance ne cesse de croître. Le solaire thermique fournit de l'eau chaude. Cette énergie permet de produire de l'électricité par voie thermodynamique. Les installations restent encore coûteuses.

La géothermie, qui utilise les eaux chaudes du sous-sol, est bien développée dans les régions volcaniques (Islande), elle peut servir pour le chauffage.

La biomasse fournit de l'énergie par le biais du bois-énergie utilisé par plus de 2 milliards de personnes dans le monde.

Le biogaz est produit par la fermentation sans oxygène de certains déchets. On obtient un mélange de gaz carbonique et de méthane. Les déchets utilisés sont les lisiers de porc, les déjections bovines, les sous-produits des industries agroalimentaires, les déchets agricoles (paille, sous-produits des papeteries), les ordures ménagères, les boues des stations d'épuration.

Les biocarburants : le colza, le tournesol, le soja sont traités pour en extraire l'huile et la séparer des tourteaux. Ils produisent du Diester. La fermentation alcoolique de la betterave, du blé, de l'orge ou de la canne à sucre donne de l'éthanol (voir p. 120, Leçon 7).

Le développement des agrocarburants est aussi discuté, d'une part en raison de la consommation de terres agricoles, d'autre part parce que cette production nécessite d'importantes quantités d'énergie.

L'hydraulique : l'eau est utilisée sous forme d'énergie mécanique pour faire tourner une turbine ou pour produire de l'électricité. Les grands aménagements hydroélectriques ont commencé après la Seconde Guerre mondiale, 13 000 barrages de plus de 30 mètres de haut existent dans le monde. Aujourd'hui, la construction de grands barrages est combattue pour leur impact environnemental (effet sur la flore et la faune, gaspillage de l'eau par évaporation…). L'hydraulique fournit environ 15 % de l'énergie électrique produite dans le monde.

Les énergies renouvelables :
avantages et inconvénients

Énergies	Usages	Avantages	Inconvénients
Hydraulique	Électricité	Potentiel peu développé dans les pays du Sud, faible coût	Potentiel limité dans les pays riches, coûts environnementaux
Éolien	Électricité	Nuisances faibles (bruit, aspects paysagers), coût modéré	Production périodique, nécessité d'énergie de complément
Solaire thermique	Chauffage, eau chaude	Potentiel important, technique assez simple, bon rendement	Production périodique, nécessité d'énergie de complément
Solaire photovoltaïque	Électricité	Production domestique	Coût élevé, rendement faible
Biocarburants	Transports	Substitution au pétrole, émission de CO_2 faible	Surface agricole importante, conflits avec les cultures pour l'alimentation
Bois et biomasse	Chauffage, transports	Stockage facile, émission de CO_2 assez faible	Risque de déforestation ou de dégradation des écosystèmes
Géothermie	Chauffage, électricité	Énergie constante	Nombre de sites exploitables limité, investissements importants

B. Mérenne-Schoumaker, *art. cit.*

En 2007, la population mondiale consommait 10 milliards de tonnes d'équivalent pétrole mais 2 milliards d'hommes n'avaient toujours pas accès à l'électricité. Les ressources renouvelables ne peuvent aujourd'hui encore remplacer totalement les énergies non renouvelables alors que la demande des pays émergents ne cesse d'augmenter très fortement.

Il est donc indispensable de consommer mieux les ressources non renouvelables, de réduire le gaspillage. Les économies d'énergie constituent d'ores et déjà une priorité.

En termes d'aménagement, la mise en œuvre des agendas 21 locaux insiste sur un urbanisme compatible avec la réduction des usages énergétiques : moins de déplacements en voiture, nécessité de maîtriser la périurbanisation. Il s'agit de mettre en œuvre un habitat peu consommateur en énergie (maisons passives ou maisons positives). L'agriculture doit être également moins consommatrice. Partout sur la planète, il est indispensable d'investir massivement dans les énergies renouvelables et de les promouvoir systématiquement.

LES HYDROCARBURES EN RUSSIE
ET LES ENJEUX DE DÉVELOPPEMENT DURABLE

La sécurité énergétique s'impose comme un enjeu majeur sur la planète : croissance de la demande mondiale, caractère limité des ressources fossiles, exigences de sécurité d'approvisionnement, effets sur le changement climatique (près de 80 % des émissions de gaz à effet de serre proviennent de la façon dont l'énergie est produite ou consommée)… Dans ce contexte, la Russie, puissance pétrolière et gazière dont le territoire immense jouxte les trois grandes zones de consommation que sont l'Europe, l'Asie orientale et l'Amérique du Nord, est un acteur majeur du « grand jeu pétrolier et gazier » du XXIe siècle.

En termes de développement durable, la question des hydrocarbures en Russie n'englobe pas seulement les questions de réserves, de ressources, d'offre et de demande, de sécurité des approvisionnements ; elle concerne aussi les retombées sur l'économie, la société et l'environnement du pays. Pourquoi la Russie est-elle un acteur incontournable dans le jeu énergétique mondial ? Quels sont les partenaires du « jeu » et quels sont les enjeux ? Quelles sont les conséquences de l'exploitation des hydrocarbures sur le pays ?

LA RUSSIE, PREMIÈRE PUISSANCE PÉTROLIÈRE ET GAZIÈRE DE LA PLANÈTE

Le territoire russe est richement doté en pétrole et en gaz. En 2007, avec 12,6 % de la production mondiale, la Russie était l'un des premiers producteurs mondiaux de pétrole avec l'Arabie Saoudite et le deuxième exportateur. Elle est aussi le premier producteur de gaz naturel (21,3 % de la production mondiale) et le premier exportateur (28,6 %). Ces chiffres reflètent les énormes potentialités du pays.

L'ampleur des réserves pétrolières et gazières russes est assez controversée. En effet, les estimations varient en fonction les modes de calcul. À titre d'exemple, l'*Oil and Gas Journal* estime les réserves russes en pétrole à 6 % des réserves mondiales en termes de réserves prouvées. En revanche, pour l'Agence internationale de l'énergie (AIE), les réserves russes représenteraient 15 % des réserves mondiales, et, pour l'Association des géologues américains, seulement 9,3 %. Pour le gaz, la Russie détiendrait, selon les estimations, entre un quart et un tiers des réserves mondiales prouvées ; si l'on prend en considération les réserves potentielles, c'est-à-dire les gisements connus mais non exploitables dans les conditions techniques et économiques actuelles, la part de la Russie représenterait 40 % du total mondial des réserves de gaz. Cette abondance doit être nuancée car trois quarts des réserves prouvées de gaz et de pétrole sont situées en Sibérie et dans le Grand Nord, des régions où la mise en valeur des ressources est tributaire des contraintes des milieux : le froid intense, la banquise en hiver, la présence d'eau (cours d'eau, marais), la fonte du pergélisol en été qui imposent des solutions techniques complexes et coûteuses tant pour le pompage que pour la construction des conduites (voir p. 208, Le gaz et le pétrole en Russie : gisements et exportations). Les réserves potentielles pourraient encore croître car, selon le Service géologique américain, une part significative des ressources non découvertes de gaz et de pétrole serait située en Arctique. Ce n'est donc pas un hasard si la Russie revendique la souveraineté sur la moitié de l'Arctique, y compris le pôle Nord.

La production pétrolière, pour l'heure, est aux mains d'une petite dizaine d'entreprises russes. Parmi elles, Lukoil et Rosneft sont concentrées dans deux régions : le « deuxième Bakou » est formé de l'ensemble des régions entre l'Oural et la Volga (26 % de la production) ; le « troisième Bakou » se trouve dans la moyenne vallée de l'Ob en Sibérie occidentale – district des Khantys – Mansis (69 % de la production).

Quant à la production de gaz, contrôlée en grande partie par Gazprom – entreprise d'État qui produit près de 90 % du gaz et détient 60 % des réserves –, elle se situe dans les mêmes régions que le pétrole : 70 % de la production provient de la Sibérie, 26 % de la région Volga-Oural. Les réserves de ces deux ensembles sont déjà fortement entamées ; elles seront progressivement relayées par de nouveaux gisements dont l'exploitation a commencé. Il s'agit, pour le pétrole, des gisements de Sibérie orientale, d'Extrême-Orient (Sakhaline) et de Sibérie septentrionale (république des Komis, région des Nénètses) ; pour le gaz, d'importants gisements découverts au-delà du cercle polaire – c'est le cas notamment des gisements d'Ourengoï, de Yambourg et plus encore de ceux de la mer de Kara, de la mer de Barents et de la péninsule de Yamal. S'y ajoutent les gisements de Sibérie orientale et d'Extrême-Orient. L'ampleur des investissements nécessaires risque de compromettre leur mise en exploitation rapide. La capacité de la Russie à conforter dans l'avenir sa place de principal fournisseur d'énergie dépendra fortement des conditions et des délais de mise en exploitation de ces nouveaux gisements, donc des technologies et des investissements russes ou étrangers.

Les hydrocarbures sont expédiés par de puissantes conduites vers les grandes régions de consommation intérieures et extérieures, tout particulièrement l'Europe (voir p. 209, Russie : les routes des hydrocarbures).

Aussi, l'organisation et la fiabilité des transports des hydrocarbures sont un enjeu décisif pour les exportations et un point faible pour la Russie qui s'est engagée

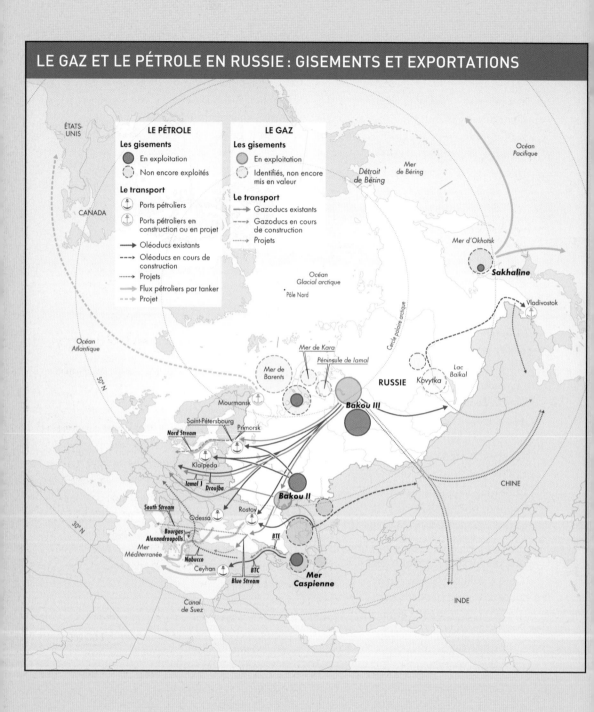

LE PÉTROLE

Les gisements
- En exploitation
- Non encore exploités

Le transport
- Ports pétroliers
- Ports pétroliers en construction ou en projet
- Oléoducs existants
- Oléoducs en cours de construction
- Projets
- Flux pétroliers par tanker
- Projet

LE GAZ

Les gisements
- En exploitation
- Identifiés, non encore mis en valeur

Le transport
- Gazoducs existants
- Gazoducs en cours de construction
- Projets

ÉTATS-UNIS
CANADA
Océan Atlantique
Océan Pacifique
Détroit de Béring
Mer de Béring
Mer d'Okhotsk
Mer de Kara
Péninsule de Iamal
Mer de Barents
Océan Glacial arctique
Pôle Nord
Cercle polaire arctique
RUSSIE
Kovytka
Lac Baïkal
Sakhaline
Vladivostok
Mourmansk
Saint-Pétersbourg
Nord Stream
Primorsk
Klaipeda
Iamal 1
Droujba
Bakou III
Bakou II
Rostov
Odessa
South Stream
Bourgas
Alexandroupolis
Mer Méditerranée
Nabucco
Ceyhan
BTE
BTC
Blue Stream
Mer Caspienne
Canal de Suez
CHINE
INDE
30° N
50° N

RUSSIE : LES ROUTES DES HYDROCARBURES

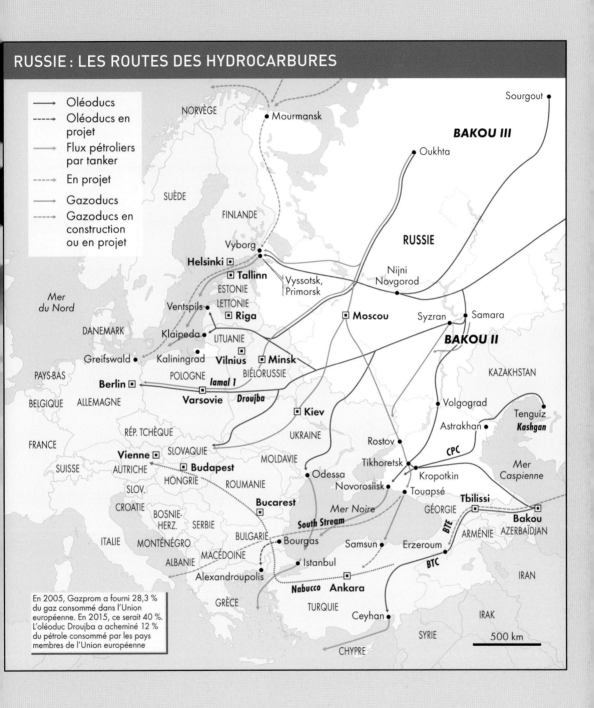

Légende :
- → Oléoducs
- ⇢ Oléoducs en projet
- → Flux pétroliers par tanker
- ⇢ En projet
- → Gazoducs
- ⇢ Gazoducs en construction ou en projet

En 2005, Gazprom a fourni 28,3 % du gaz consommé dans l'Union européenne. En 2015, ce serait 40 %. L'oléoduc Droujba a acheminé 12 % du pétrole consommé par les pays membres de l'Union européenne

500 km

depuis l'éclatement de l'Union soviétique dans de multiples projets pour sécuriser ses exportations.

« SÉCURITÉ DES APPROVISIONNEMENTS, SÉCURITÉ DES MARCHÉS » : DES ENJEUX DE DÉVELOPPEMENT DURABLES

. . . .

La demande globale d'énergie primaire, selon l'AIE, devrait augmenter de plus de 55 % d'ici à 2030 ; les trois principales sources d'énergies fossiles (charbon, pétrole, gaz) resteront dominantes, couvrant encore 80 % des besoins, et la pression sur les hydrocarbures devrait être de plus en plus forte. En raison de sa richesse en hydrocarbures, la Russie apparaît comme une pièce maîtresse sur l'échiquier mondial pour répondre aux besoins croissants d'un certain nombre d'États (pays européens, Japon, Chine et même États-Unis). Sa proximité géographique avec l'Europe en fait un partenaire privilégié. L'étude des stratégies développées par chacun de ces deux partenaires est révé-

latrice de l'intérêt porté aux hydrocarbures pour la sécurité énergétique.

Les besoins énergétiques de l'Union européenne augmentent régulièrement, notamment en gaz, dont la demande croît d'environ 3,4 % chaque année alors que sa production (surtout en mer du Nord) a commencé à baisser. Ainsi, le taux de dépendance de l'Union européenne pour le gaz russe a crû au point d'atteindre aujourd'hui la moitié de ses importations de gaz. Pour l'Union européenne, comme pour tous les autres pays bordant la Russie, les approvisionnements russes sont indispensables pour assurer leur sécurité énergétique.

Pour la Russie qui exporte vers l'Union européenne plus des trois quarts de son pétrole et un tiers de son gaz, ce principal débouché constitue un marché à sauvegarder. La Russie a également besoin des moyens techniques et financiers européens afin de moderniser ses équipements pour l'extraction, la transformation et le transport des hydrocarbures. Il y a donc une dépendance mutuelle qui impose de part et d'autre des stratégies pour contrôler

---

Importance des relations Russie-Union européenne dans le domaine des hydrocarbures

Réserves et exportations de la Russie
27 % des réserves mondiales de gaz
6 % des réserves de pétrole
80 % du pétrole exporté vers l'UE
36 % du gaz exporté vers l'UE

Importations de l'UE
30 % des importations nettes de pétrole en provenance de la Russie
50 % des importations de gaz

Samuele Furfari, *Le Monde et l'Énergie*, t. 2, Paris, Technip, 2007.

la ressource et son acheminement, et pour tenter de réduire la dépendance. Cette relation d'interdépendance est appelée à perdurer en raison de la proximité et des besoins des deux partenaires. Elle favorise des collaborations pour trouver un équilibre satisfaisant entre les attentes légitimes de chacun.

L'exemple du gaz permet d'illustrer cette situation. La Russie et Gazprom – cette entreprise d'État a le monopole des exportations et met en œuvre les orientations du gouvernement – ont multiplié les accords politiques et industriels avec les pays consommateurs (Union européenne, Chine, Japon), avec les pays producteurs (Kazakhstan, Turkménistan), mais aussi avec les pays de transit (Ukraine). Ces accords visent à réduire les vulnérabilités et à garder la maîtrise de la ressource et des voies de transit, à permettre des possibilités d'arbitrage et à réduire la dépendance envers l'Union européenne.

D'abord, la question de la sécurité des voies de transit, préoccupation majeure pour la Russie depuis que l'éclatement de l'Union soviétique fait intervenir d'autres pays pour le contrôle des gazoducs. Les Russes ont déployé d'importants efforts pour retrouver cette maîtrise. Cela s'est traduit par des rachats de réseaux de transport ou des négociations avec les pays voisins. Le conflit avec l'Ukraine par où passent des gazoducs que la Russie voudrait contrôler est en cela significatif. La construction de nouveaux gazoducs participe aussi de cette stratégie : c'est le cas de « Blue Stream » et du « North European Gas Pipeline » *(voir p. 209, Russie : les routes des hydrocarbures)*.

Les Russes tentent aussi de peser sur les décisions de l'Union européenne en prenant des participations à divers projets énergétiques au sein de l'Union.

La Russie s'efforce enfin de réduire sa dépendance envers le marché européen. Ses dirigeants ont exprimé leur volonté de réorienter les exportations de gaz vers l'Asie (Chine, Japon, Corée du Sud ou même États-Unis). Deux projets de gazoducs lancés en 2006 doivent alimenter la Chine en 2011 – cependant, la demande chinoise en gaz est encore modeste, de l'ordre de 40 milliards de mètres cubes, et devrait le rester. La Russie tente aussi de conquérir de nouveaux débouchés vers le Moyen-Orient par la création d'un axe nord-sud Volga-Caspienne vers l'Iran et le golfe Persique.

En ce qui concerne le pétrole, la Russie développe ses propres terminaux pétroliers (région de Saint-Pétersbourg, Novorossiisk, et bientôt en mer de Barents). Elle projette de bâtir un oléoduc destiné à capter le transit kazakh (tube vers Novorossiisk).

L'Union européenne, de son côté, craignant les conséquences que la baisse des approvisionnements de gaz russe pourrait faire peser sur son économie, cherche à renforcer son partenariat avec la Russie et les pays de transit (prise de participation dans les gazoducs ou dans l'exploitation des gisements). Toutefois, le traité de la Charte de l'énergie signé en 1994 entre l'Union européenne et la Russie est toujours en attente de ratification par cette dernière. Parallèlement, elle développe des projets concurrents qui contournent la Russie comme l'oléoduc Bakou-Ceyhan, ou Traceca. Ce projet européen vise à faciliter le commerce entre l'Union européenne et l'Asie centrale via le Caucase et la mer Caspienne, en réaménageant les infrastructures et en harmonisant les législations.

LES RETOMBÉES DE L'EXPLOITATION DES HYDROCARBURES SUR LE TERRITOIRE

. . . .

Les ressources considérables en hydrocarbures ont constitué un atout essentiel pour le redressement de la Russie après l'effondrement de l'Union soviétique. Selon la Banque mondiale, le pétrole et le gaz représentent un quart du PIB, 55 % des recettes du budget fédéral et 54 % des exportations. Les hydrocarbures sont donc un grand pourvoyeur de devises. Ces chiffres dénotent la forte vulnérabilité de l'économie russe face aux fluctuations des prix du gaz et du pétrole, mais aussi face à la baisse de la production en cas de retard de la mise en exploitation des nouveaux gisements. L'État russe s'est prémuni contre des oscillations trop marquées en constituant un fonds de stabilisation. Il reste que ces ressources qui représentent la moitié des exportations constituent un facteur de fragilité de l'économie. S'y ajoute la question du coût de l'extraction et de l'acheminement. Les investissements nécessaires dépassent de beaucoup les capacités financières de Gazprom et ne pourront être réalisés qu'avec la participation des grandes entreprises étrangères occidentales. Or la politique actuelle de Moscou semble vouloir remettre en cause ou renégocier les contrats de partage de production conclus avec des entreprises occidentales (BP, Shell, Total) dans

les années 1990 et réserver l'exploitation des nouveaux gisements aux sociétés d'État en excluant la participation des sociétés étrangères. C'est ainsi que l'accord sur l'exploitation du gisement pétrolier Sakhaline 3, qui avait été conclu en 1993 entre l'entreprise pétrolière russe Rosneft et les entreprises américaines Chevron, Texaco et Exxon Mobil, a été remis en cause. En 2006, Gazprom a annoncé qu'elle réaliserait seule l'exploitation des gigantesques gisements de Shotkman dans la mer de Barents, excluant par là les sociétés norvégiennes, le groupe Total, les sociétés américaines qui devaient participer au projet. Dans ces conditions, la question des délais pour la mise en service des nouveaux gisements se pose avec d'autant plus d'acuité.

La Russie est également un grand consommateur d'hydrocarbures. En raison de l'abondance énergétique et de l'ampleur des gaspillages, l'efficacité énergétique est faible. Le gaspillage concerne aussi bien l'industrie que les ménages. En effet, la vétusté des équipements industriels, la médiocrité des logements ne facilitent pas les économies, et surtout le faible coût de l'énergie sur le marché n'incite ni le gouvernement ni les acteurs économiques à adopter des usages économes. Il existe de fortes pertes en raison de la mauvaise qualité et du manque d'entretien des conduites (gazoducs et oléoducs). Les fuites de gaz en Sibérie sont estimées à 10 % de la production, soit l'équivalent de la consommation annuelle de la France. À cela il faut ajouter les énormes gaspillages au niveau de la production du pétrole. En raison du monopole du transport et de l'exportation du gaz que détient Gazprom, les entreprises pétrolières qui extraient du gaz associé au pétrole préfèrent se débarrasser du gaz en le brûlant plutôt que de le vendre aux prix extrêmement bas pratiqués par Gazprom. Aussi l'amélioration de l'efficacité énergétique est-elle un des enjeux majeurs pour le gouvernement. Elle permettrait de dégager des volumes supplémentaires pour l'exportation et de réduire les émissions de gaz à effet de serre dans le cadre de la lutte contre le changement climatique.

Reste la question environnementale dont ne s'est guère souciée la Russie, pays à la « croissance extensive » grâce à son étendue qui lui donne l'impression de ne pas avoir de limites. Beaucoup d'experts s'inquiètent des catastrophes, des ravages en cours. Les informations sur l'extraction pétrolière en Sibérie montrent que les pétroliers sont avant tout tournés vers le pompage et l'exportation, et négligent les réseaux de conduite. Les ruptures d'oléoducs aboutissent au déversement du pétrole et à des incendies dans la plaine russe chaque année. Yvette Vaguet (2007), étudiant la Sibérie occidentale, décrit ainsi le saccage environnemental causé par l'exploitation des hydrocarbures : « Une exploitation extensive et prédatrice qui laisse de moins en moins de place au système régional traditionnel fondé sur un peuplement nomade (Nénètses et Khantes) vivant de l'élevage de rennes et de chasse... »

– – – – – – – – – – – – – – –

EN CONCLUSION

– – – – – – – – – – – – – – –

La richesse en hydrocarbures de la Russie lui a permis de renforcer son poids international, mais la politique suivie dans ce domaine par les autorités russes fluctue au gré de considérations géopolitiques. Pourtant, garantir un accès durable à l'énergie est un défi autant pour la Russie que pour l'Europe. Il ne pourra être relevé que par une meilleure solidarité entre partenaires désireux de favoriser une stratégie de développement des hydrocarbures qui associe financement de l'offre, économies d'énergie, sécurité des approvisionnements et respect de l'environnement.

12

IDÉES REÇUES, PIÈGES À ÉVITER

→ La ville durable est la ville écologique.

→ La ville durable est la ville verte.

→ Une faible empreinte écologique d'une ville
serait un indicateur de son bon fonctionnement.

QU'EST-CE QU'UNE VILLE DURABLE ?

La Commission française du développement durable a défini la ville durable comme une ville dont les habitants disposent de moyens d'agir pour qu'elle soit organisée et fonctionne dans des conditions politiques, institutionnelles, sociales, culturelles satisfaisantes pour eux et équitables pour tous, dont le fonctionnement et la dynamique satisfont à des objectifs de sécurité, à des conditions biologiques de vie, de qualité des milieux et de limitation des consommations de ressources. Elle ne doit compromettre ni le renouvellement des ressources naturelles alentour, ni le fonctionnement, les relations et la dynamique des écosystèmes microrégionaux englobants, ni enfin les grands équilibres régionaux et planétaires indispensables au développement durable des autres communautés et des générations futures.

• Comment la ville, grande ou petite, symbole de l'artificiel, du construit, par opposition à la nature qu'elle contribue parfois à modifier (souvent à perturber si l'on suit les discours dominants), voire à détruire, se situe-t-elle dans le développement durable ?
• Qu'entend-on par écoville et écoquartier ?
• Doit-on envisager la ville durable ou les villes durables ?

COMMENT ÉMERGE LA « VILLE DURABLE » EN EUROPE ?

En cent ans, la population urbaine mondiale a été multipliée par vingt alors que la population mondiale quadruplait. Plus de 3 milliards de personnes vivent aujourd'hui en ville. En 2007, il y avait plus d'urbains que de ruraux. Onze villes comptaient plus d'un million d'habitants en 1900, 276 en 1990, 370 en 2000. Les mégapoles de plus de 10 millions d'habitants étaient 2 en 1950, 18 en 2000.

Dès le début des années 1990, l'Organisation de coopération et de développement économiques (OCDE) tente de promouvoir une meilleure qualité de vie en ville en élaborant le projet « Ville écologique » qui conduit à travailler sur l'énergie, les transports, la réhabilitation des secteurs urbains en déprise. La Commission européenne installe en 1991 un groupe d'experts sur l'environnement urbain. Ce groupe constate que l'« approche *top-down* », selon laquelle les objectifs et les modes de gestion viennent des décideurs et doivent être appliqués tels quels par la population, d'une politique environnementale basée uniquement sur la législation n'entraîne pas forcément l'adhésion des populations et des acteurs locaux ; ce qui compromet la réalisation des objectifs du développement durable.

Très rapidement après la conférence de Rio de 1992, l'Europe commence à mettre en œuvre des politiques de développement durable en appliquant des agendas 21 locaux. Elle devient en quelque sorte le berceau de la « ville durable ». En 1993, la Commission européenne lance la campagne des villes européennes pour un développement durable, elle encourage et soutient les collectivités qui s'orientent vers le développement durable. Dans son rapport final de 1996, le groupe d'experts sur l'environnement urbain pose les bases et les instruments pour une ville durable dans les domaines de la gestion des ressources, du social, de la mobilité et de l'accessibilité, de la régénération urbaine, des héritages culturels et du tourisme. En 1994, lors de la conférence d'Aalborg au Danemark réunie à l'instigation de plusieurs organismes – l'International Council for Local Environmental Initiative (ICLEI), le réseau Villes-Santé de l'Organisation mondiale de la santé (OMS), la Fédération mondiale des cités unies, les Eurocités, le Conseil des communes et des régions d'Europe et la Communauté européenne –, des représentants des villes européennes sont présents afin de fixer les lignes directrices pour élaborer un plan communal d'action en faveur du développement durable. Quatre-vingts villes ont alors adopté la charte d'Aalborg par laquelle les collectivités signa-taires s'engagent à réaliser un agenda 21 local.

- - - - - - - -

LES OBJECTIFS DE LA CHARTE D'AALBORG

Nous, villes, comprenons que le concept de développement durable nous conduit à fonder notre niveau de vie sur le capital que constitue la nature. Nous nous efforçons de construire une justice sociale, des économies durables et un environnement viable. La justice sociale s'appuie nécessairement sur une éco-nomie durable et sur l'équité, qui reposent à leur tour sur un environnement viable.

- - - - - - - -

Le Comité des ministres du Conseil de l'Europe approuve en 2002 une recommandation adressée aux États membres sur les principes directeurs pour le développement territorial durable du continent européen. La recommandation souligne notamment la nécessité de réduire la périurbanisation et prône la construction à proximité des nœuds de trafic et des gares… La déclaration de Lju-bljana en 2003 sur la dimension territoriale du développement durable insiste sur la nécessité de soutenir le développement polycentrique équilibré du continent et la formation de régions urbaines fonctionnelles, y compris des réseaux de villes moyennes.

QUELS OBJECTIFS POUR LES AGENDAS 21 LOCAUX ?

Jusqu'en 1992 existaient en France des plans de qualité de l'environnement urbain qui sont devenus des chartes : charte écologique, charte environnementale, charte de qualité de vie. L'application d'un agenda 21 élargit le propos, puisqu'il s'agit de passer à une approche globale intégrant éléments écologiques, sociaux, écono-miques, associant les politiques publiques, les actions privées et associatives pour conduire à un développement durable, équitable et solidaire, respectueux de l'en-vironnement, économiquement efficace.

L'agenda 21 local est un document stratégique et opérationnel, un pro-jet de territoire pour dix ou quinze ans, basé sur une gestion économe, équitable et intégrée au territoire. Il est porté par les élus municipaux et fondé sur une démarche participative. Il doit s'accompagner de l'adhésion des citoyens. L'agenda doit prévoir des réponses à des enjeux pour le futur ; il impose de décloisonner les compétences présentes dans la gestion d'une ville pour travailler de manière transversale.

En France, le ministère en charge de l'Environnement a lancé en 1997 un appel à projets. Seize projets ont été retenus, ce qui est peu comparé à l'Allemagne qui, au même moment, avait déjà plusieurs centaines d'agendas locaux en cours de réalisation. Pourtant, en France, le nombre d'agendas 21 locaux n'a cessé d'augmenter rapidement depuis.

Ces agendas 21 proposent des approches variées, plus ou moins globales. Les thèmes les plus couramment intégrés pour un développement durable sont les ressources, les risques, la nature, les pollutions et plus récemment la circulation dans la ville qui renvoie à la question de l'énergie et du changement climatique. Tous ces aspects qui concourent à une meilleure qualité de la vie, à une meilleure santé des populations, à une écoville ou à un écoquartier sont fondamentaux *(voir p. 220, Les écoquartiers manifestes en Europe)*. Mais permettent-ils de parvenir à une ville durable, qui ne peut être réduite à une écoville ? Les approches les plus fréquemment envisagées concernent assez largement le volet « écologique », mais n'intègrent guère le volet économique et les aspects sociaux. Disparité des revenus, accessibilité inégale aux services urbains, inégalité des chances en matière d'éducation semblent parfois oubliés.

Certains auteurs considèrent aussi que le développement durable d'une ville ne peut résulter de la juxtaposition d'actions sectorielles « durables » qui témoignent néanmoins d'une prise de conscience de la part des acteurs urbains. Le bilan que l'on peut aujourd'hui envisager quant à la mise en œuvre des agendas 21 aussi bien en France que dans d'autres villes européennes est donc à nuancer *(voir p. 24, Les agendas 21 en cours)*.

LA VILLE DURABLE IMPLIQUE-T-ELLE UN NOUVEL URBANISME ?

Les préconisations de la charte d'Aalborg témoignent en matière d'urbanisme de ruptures plus ou moins marquées par rapport aux conceptions de la ville du XIXe siècle et du début du XXe siècle.

L'urbanisme prôné au début du XXe siècle, dans le cadre de la charte d'Athènes, se fondait sur la politique de la « table rase », sur la décontextualisation de l'architecture moderne appuyée sur un style moderne de construction généralisé. Cela a conduit à une architecture indépendante du contexte local, des conditions climatiques, des aspects paysagers et du site. L'insertion paysagère du bâti était rarement prise en compte.

La charte d'Athènes développe l'idée de zonage, distinguant les zones d'activités, de vie. Elle insiste sur l'importance de la fluidité de la circulation, impliquant des

LES ÉCOQUARTIERS MANIFESTES EN EUROPE

Mer de Norvège

FINLANDE

SUÈDE

Golfe de Botnie

Stockholm
Hammarby
(Sjöstad BO 02)
2002

Helsinki
Viikki-Latokartano
1999

Mer du Nord

Mer
Baltique

Greenwich
Greenwich
Millenium Village
Lancement en1999

Copenhague
Vesterbro
Années 1990

Malmö
Västra Hamnen
(BO 01)
2001

DANEMARK

Amsterdam
GWL Terrein
1998

Amersfoort
Nieuwland
1998

Hanovre
Kronsberg
2000

P.-B.

Sutton
Beddington Zero
Energy Development
Lancement en 2000

Culemborg
Eva-Lanxmer
Lancement en1994

ALLEMAGNE

Linz
Solar City
1995-2004

Utrecht
Liedsche Rijn
2001 à 2020

AUTRICHE

Fribourg-en-Brisgau
Vauban et Reiselfeld
1998

Munich
Riem
1996

500 km

voies différentes pour les divers modes de transport. À cela la charte d'Aalborg répond de manière tout à fait autre.

Comparaison entre la charte d'Athènes et celle d'Aalborg

Charte d'Athènes 1933	Charte d'Aalborg 1994
Principe de la table rase	Importance de la dimension patrimoniale. L'existant est pris en compte dans l'élaboration de nouveaux projets urbains et architecturaux
Le bâti est sans rapport avec le cadre environnemental. Le style est international	L'insertion du bâti dans l'environnement doit être envisagée. Sa dimension patrimoniale est bien présente
Zonage	Mixité fonctionnelle
Circulation aisée, séparation des modes de déplacement	Réduction de la mobilité, contrainte. Une voie pour plusieurs modes de transport
L'urbanisation est le fait des experts, dans le but de « rationaliser la ville »	Urbanisation participative, gouvernance. Singularité des réponses.

D'après C. Emelianoff, in *Enjeux et politiques de l'environnement*, dossier, *Cahiers français*, n° 306, janvier-février 2002.

Ce sont des éléments du mouvement « hygiéniste » développé au XIXᵉ siècle que reprend la ville durable tout en remettant en cause certaines de ses préconisations. En effet, ce mouvement avait permis d'envisager un autre « modèle » urbain et d'intégrer la nature en ville. Il s'agissait d'une nature ordonnée, dominée, bonne pour la santé publique et mentale et pour l'ordre social. En mettant en avant cette notion de « poumon de la ville », en « dé-densifiant », en créant des ceintures vertes, l'hygiénisme a contribué à réduire le taux de mortalité urbaine (tuberculose). Au XXᵉ siècle, la ville « verte » est devenue un modèle pour les mouvements écologistes. L'hygiénisme, conscient des dangers liés à l'eau stagnante, a favorisé l'écoulement rapide et l'enterrement des eaux usées, l'assèchement des espaces humides intra- ou périurbains, une gestion acceptable des déchets. Il a favorisé aussi l'imperméabilisation des sols pour limiter ornières et eaux stagnantes.

Aujourd'hui, la ville durable remet en question certains de ces éléments. L'imperméabilisation est discutée et rendue responsable de l'aggravation des inondations. On envisage le stockage des eaux de pluie par des chaussées ou des toits poreux. On développe de plus en plus des bassins où les eaux sont stockées avant de s'infiltrer lentement, permettant ainsi l'autoépuration de l'eau dans les sols, sans toutefois résoudre tous les problèmes posés par les métaux lourds qui s'accumulent dans les sols.

On tend aussi à réintroduire la rivière dans la ville, alors que l'on avait souvent enterré les cours d'eau transformés en égouts et que les villes tournaient le dos à leur cours d'eau, responsables de risques (inondation) ou de nuisances (odeurs, moustiques...). L'aménagement des Docklands à Londres et d'autres fronts d'eau (Bordeaux, Toulouse...) témoigne d'un nouveau rapport de la ville avec son cours d'eau.

Aujourd'hui, la ville durable implique de limiter la consommation d'énergie pour réduire la pollution et le réchauffement climatique et pour économiser des ressources énergétiques non renouvelables. Cela nécessite de repenser la circulation en ville et la ville elle-même, en limitant notamment la périurbanisation. S'agissant du bâti, des normes haute qualité environnementale (HQE) doivent être mises en œuvre pour réduire la consommation d'énergie, d'eau...

La ville durable peut donc se définir comme une ville dense. Elle privilégie la circulation douce et fait reculer la place de l'automobile. C'est le cas à Fribourg-en-Brisgau, où 30 % des déplacements s'effectuent en transport en commun et où le vélo représente aussi plus de 30 % des déplacements. Des efforts dans ce sens sont effectués à Angers, La Rochelle ou Paris...

Le verdissement, le soin accordé à la nature en ville est un autre aspect fortement présent. La nature est considérée comme un gage de meilleure qualité de vie.

La nécessaire maîtrise des déchets, des pollutions et plus largement des nuisances (bruit) est aussi une des composantes de la ville durable. Des installations destinées à mesurer les pollutions ou les nuisances existent, accompagnées de nombreuses réglementations et de taxes conduisant à faire disparaître ces dysfonctionnements.

La plupart des villes tentent aussi de mieux maîtriser les risques, naturels, industriels et technologiques en mettant en œuvre des plans de prévention des risques (PPR) et en appliquant la directive Seveso... L'attention accordée au patrimoine, et notamment aux centres-villes, est une autre caractéristique des villes en marche vers le développement durable.

DE LA VILLE DURABLE AUX VILLES DURABLES

Parler de ville durable pourrait laisser croire qu'existe un modèle transposable partout, à toutes les villes, alors qu'il faut envisager des villes intégrées à des politiques de développement durable selon des modalités et des temps variables en fonction de leurs spécificités culturelles, économiques et sociales.

Si l'Europe progresse en termes de villes durables en dépit de l'accroissement des poches de pauvreté, des inégalités entre quartiers, qu'en est-il des villes américaines ? Celles de l'Ouest américain notamment, composées d'innombrables maisons entourées de jardin, s'étendent sur des dizaines ou des centaines de kilomètres et sont exclusivement dépendantes de la voiture, des réseaux d'autoroutes – c'est le cas extrême de Los Angeles (A. Berque *et al.*, 2006). La question s'est même posée de savoir si l'on peut à leur propos encore parler de villes au sens où l'Europe définit ce terme. Néanmoins, certaines villes américaines commencent à envisager des politiques plus « durables » : des centaines de maires se sont engagés à réduire les émissions de gaz à effet de serre, à New York, Los Angeles ou Chicago. Pour cela, ils souhaitent augmenter l'efficacité des automobiles, améliorer les transports en commun, tout en tentant de limiter l'expansion urbaine.

Par-delà l'exemple emblématique et si souvent évoqué de Curitiba au Brésil, dont le réseau de transport en commun a réduit le trafic automobile de 25 %, la plupart des villes des pays en développement (pays pauvres ou émergents) et notamment les mégapoles sont encore insuffisamment impliquées dans les projets de durabilité. Il est vrai que, dans beaucoup de ces villes, les équipements de base concernant l'eau potable, les eaux usées, les déchets… font encore défaut ; les inégalités sont considérables d'un quartier à l'autre, et les bidonvilles nombreux. L'accès à l'enseignement, aux soins est souvent absent et les maladies liées à l'environnement font encore de trop nombreuses victimes. Des efforts sont localement effectués, mais ils demeurent ponctuels et peuvent contribuer à renforcer les inégalités – le raccordement à l'eau ou à l'électricité en fournit des exemples. Dans ces villes plus encore que dans les villes européennes, les politiques vers la durabilité nécessitent la satisfaction pour le plus grand nombre des besoins fondamentaux qui ne pourront être atteints sans un minimum de développement économique (É. Dorier-Apprill, 2005). Ces villes sont soumises aux risques naturels (Dacca, Mexico, Quito…) ; elles subissent les pollutions liées à l'usage de véhicules souvent très vieux et en mauvais état (Cotonou). Les habitants plus pauvres sont dans la plupart des cas les plus fragiles et les plus affectés par les maladies liées à l'environnement (mauvaise qualité de l'eau), par les catastrophes naturelles…

La ville durable renvoie donc à une politique globale destinée à réduire les inégalités socioéconomiques, à favoriser un développement économique acceptable et à promouvoir un environnement de qualité. La prise de conscience de changements indispensables dans les pratiques urbaines existant jusqu'ici est généralisée, mais sa mise en œuvre est encore trop souvent fragmentaire, voire tout à fait absente.

BedZED est, en Europe, la réalisation urbaine durable la plus médiatisée. Son nom est l'acronyme de Beddington (sa ville d'accueil) Zero Energy Development. Sorte de vitrine internationale, cet écoquartier étudié par Claire Salzmann est une tentative d'application, à l'échelle locale, des principes du développement durable. Situé dans le sud du Grand Londres, il a été pensé, réalisé et présenté par ses concepteurs comme un nouveau modèle urbain tentant de promouvoir, de façon conjointe, respect de l'environnement, viabilité économique, mixité sociale pour remédier aux maux de la ville contemporaine : étalement, pollutions, fragmentation, tensions sociales... Entre théorie et pratique, comment se présente cet écoquartier ? Quelles difficultés rencontre l'application, à un îlot urbain, des grands principes du développement durable définis à l'échelle globale ?

UN QUARTIER EXPÉRIMENTAL TRÈS MÉDIATISÉ

· · · · · · · · · · · · · · · ·

Le quartier de BedZED, minuscule îlot de la grande banlieue londonienne, ne compte que 1,7 hectare et une centaine de logements. Construit entre 2000 et 2002, il sert systématiquement de référence pour les projets urbains novateurs, pour des thèmes comme l'architecture économe en énergie, les modes de vie alternatifs, l'écologie urbaine... Cet exemple précurseur, largement diffusé par Bioregional, l'association à l'origine du projet, est perçu comme un modèle à suivre ou, tout du moins, un test grandeur nature pour un urbanisme durable.

L'écoquartier de BedZED se situe à la périphérie de l'agglomération londonienne, à 20 kilomètres du centre de la capitale, dans le *borough* de Sutton, un ancien arrondissement industriel très touché par le chômage et la pauvreté *(voir ci-contre, BedZED, un écoquartier expérimental près de Londres)*. La présence de friches industrielles et de terrains vagues offrait des opportunités de terrains à faible coût pour cette réalisation. Le site retenu, bien que surprenant pour un quartier écologique (une ancienne zone d'enfouissement de déchets qu'il a fallu décontaminer), présente des atouts indéniables en termes de desserte et de connexion aux réseaux de communications locaux et régionaux. BedZED est desservi d'une part par deux gares ferroviaires reliant la gare Victoria (au centre de Londres) aux villes du Grand Sud londonien par des navettes fréquentes et régulières, d'autre part par plusieurs

BEDZED, UN ÉCOQUARTIER EXPÉRIMENTAL PRÈS DE LONDRES

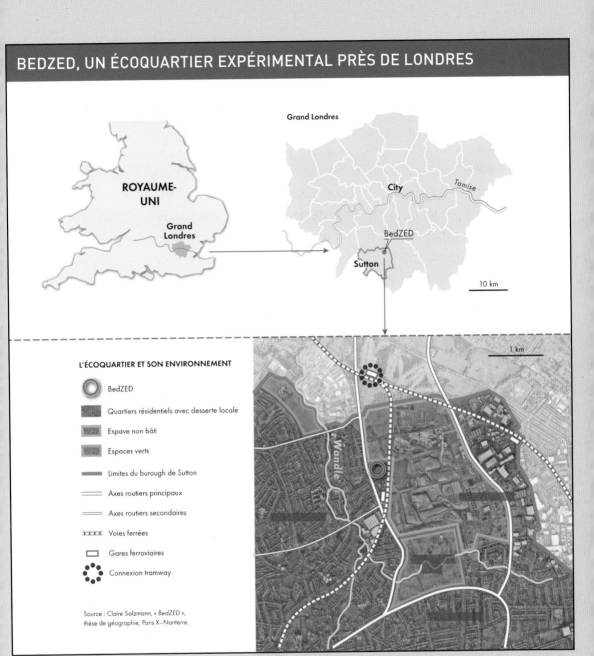

Grand Londres

ROYAUME-UNI

Grand Londres

City

Tamise

BedZED

Sutton

10 km

L'ÉCOQUARTIER ET SON ENVIRONNEMENT

- BedZED
- Quartiers résidentiels avec desserte locale
- Espave non bâti
- Espaces verts
- Limites du burough de Sutton
- Axes routiers principaux
- Axes routiers secondaires
- Voies ferrées
- Gares ferroviaires
- Connexion tramway

Wandle

1 km

Source : Claire Salzmann, « BedZED »,
thèse de géographie, Paris X-Nanterre.

bus et une ligne de tram circulant entre l'écoquartier et les villes voisines de Carshalton, Croydon et Sutton. De plus, il est bordé par une route nationale, second axe nord-sud permettant un accès rapide à la campagne anglaise et aux côtes de la Manche.

Plusieurs partenaires sont à l'initiative du projet :

– un cabinet d'architecture, Bill Dunster, spécialiste dans la construction faiblement énergivore ;

– une association caritative, Peabody Trust, principal soutien financier de la réalisation ;

– une ONG environnementaliste, Bioregional, qui préconise le modèle One Planet Living : un mode de vie tel qu'une seule planète serait suffisante pour y subvenir, et non pas les trois ou quatre qu'impliquent nos pratiques actuelles ;

– les élus de l'arrondissement de Sutton, qui ont joué un rôle dans l'implantation du quartier en menant, de longue date, une politique tournée vers l'écologie et en soutenant, financièrement et politiquement, le projet BedZED.

L'objectif est de promouvoir un quartier dont la construction, l'organisation économique et sociale, le mode de vie de ses habitants obéissent aux trois principes du développement durable : environnemental, économique et social.

En plus des logements, le projet prévoit des espaces de bureaux (2 500 m²), des espaces verts, une crèche, un bar, un marché couvert et des locaux pour les associations. Comme son nom l'indique, le quartier doit être autonome et économe en énergie et ne pas générer de pollutions. En d'autres termes, il produit l'énergie qu'il consomme, n'est pas raccordé aux réseaux locaux de distribution d'électricité, limite sa consommation en énergie et retraite ses eaux usées et ses déchets. La conception des logements répond à cette ambition. Orientés plein sud et équipés de larges baies vitrées, les appartements sont dotés d'une isolation maximale pour prévenir toute déperdition de chaleur. Murs très épais, laine de roche, végétation de toit isolante complètent cette panoplie antigaspillage d'énergie. L'électricité est produite, sur le site, par des capteurs solaires et par une centrale de cogénération fonctionnant aux copeaux de bois de même que le retraitement des eaux usées qui se fait dans une centrale destinée à cet effet. Meubles de récupération, fibres biologiques, ampoules basse consommation habillent les appartements. Les matériaux de construction sont locaux et le tri sélectif est recommandé. Un système de partage de voitures électriques encourage l'abandon des automobiles traditionnelles, tout comme les places de parking peu nombreuses dans le quartier.

Pour favoriser la mixité sociale, trois types d'accès au logement, reflétant chacun des niveaux sociaux différents, sont proposés : un tiers des logements sont la propriété de particuliers ayant accepté d'acheter leur appartement à un prix 30 % supérieur à ceux de la région ; un tiers des logements sont occupés par des professions aidées dans leur accès à la propriété par le gouvernement anglais ; et un tiers des logements sont des logements sociaux, en location.

Les habitants de BedZED sont censés vivre au rythme de One Planet Living, mode de vie durable fondé sur le calcul de l'empreinte écologique, indicateur choisi par Bioregional. Cette association, gestionnaire du quartier, veille à l'application de la charte et travaille, par sa communication, à l'exportation du modèle à l'étranger.

L'ÉCOQUARTIER À L'ŒUVRE

. . . .

Sept ans après les premières installations de résidents, le quartier offre une image bien différente de celle prévue par ses concepteurs.

BedZED est un quartier presque exclusivement résidentiel, la majorité des 2 500 m² de bureaux a été transformée en logements. Seuls Bioregional et le cabinet d'architecture Bill Dunster ont investi le quartier. La crèche a fermé, faute de subventions, tout comme le bar qui apportait trop de nuisances sonores au quartier. Restent les espaces verts et des locaux pour les associations, plutôt bien investis. Le marché, quant à lui, peine à se faire connaître. Il se limite à un producteur alimentant seulement l'îlot de BedZED.

L'ambition de mixité sociale est un échec relatif. En effet, les habitants des logements sociaux sont regroupés dans un îlot qui leur est réservé et sont physiquement séparés des autres résidents par la voie d'accès au quartier. Cette séparation se confirme dans la pratique de la vie sociale du quartier. Les locataires des logements sociaux participent rarement aux manifestations organisées par les autres résidents dans les locaux communs du quartier. Contrairement aux autres habitants de BedZED, leur présence dans le quartier, de même que le mode de vie qui y est associé, ne relève pas d'un libre choix. Leur logement leur a été attribué et beaucoup n'entendent pas se laisser imposer des contraintes de vie qu'ils n'ont pas choisies.

Quant à l'évidente bonne volonté environnementale, elle se heurte à plusieurs obstacles. Les appartements calfeutrés sont étouffants l'été, et même en Angleterre, la tentation est grande pour leurs habitants de s'équiper de ventilateurs ou de climatiseurs, peu conformes à l'ambition écologique du quartier. La tentative d'autonomie énergétique est un échec : la centrale de cogénération, entretenue par une société écossaise qui a fait faillite, ne fonctionne plus, faute de maintenance. Le quartier a été raccordé au réseau électrique local. Enfin, la limitation de l'utilisation de la voiture individuelle n'est pas non plus un succès. Nombreux sont les ménages à posséder leur propre voiture. Le quartier n'offrant que peu de places de parking, à des prix très élevés, il s'ensuit des conflits de voisinage entre les habitants de BedZED qui garent leur véhicule dans les rues adjacentes et les riverains du quartier qui se trouvent incommodés par cette « invasion ».

BedZED peine donc en pratique à incarner le modèle de quartier durable qu'il est supposé être. Sa place dans les médias s'explique par une communication habile et par son statut novateur. Se pose finalement la question de la compatibilité de l'échelle du quartier avec ce type de réalisations.

LES LIMITES DU MODÈLE

. . . .

BedZED est à peine un quartier, c'est davantage un îlot prétendant à la durabilité. Sa petite taille et son faible nombre d'habitants posent la question du coût économique d'un tel projet et de sa rentabilité, en dépit de la réduction des impacts sur l'environnement. Les logements à BedZED coûtent en moyenne, à l'achat, 30 % plus cher que des appartements de même taille et de même standing dans le sud du Grand Londres. Les techniques de construction, l'aspect local des matériaux et les installations faiblement consommatrices en énergie expliquent ce surcoût. Il est alors possible de penser que la construction à plus grande échelle, sur un quartier plus important en taille et en nombre d'habitants, aurait permis de faire baisser ces coûts de construction, et donc le prix des appartements. De même, l'implantation, pour un quartier d'environ 250 habitants, d'une centrale électrique et d'un point de retraitement des eaux usées n'est-elle pas ambitieuse et peu conforme à l'idée écologique et sociale du quartier ? Ces équipements n'étant pas financièrement rentables, n'aurait-il pas été plus économique de raccorder BedZED aux différents réseaux de Beddington. N'a-t-on pas privilégié l'image du quartier et la volonté expérimentale par rapport à des aspects plus concrets de rentabilité économique, de coût écologique et d'accès au quartier pour une base plus large de population ? BedZED, avec sa population majoritairement composée de jeunes couples avec enfants, cadres londoniens pour la plupart, reste un îlot socialement favorisé dans une banlieue londonienne populaire. Les rapports entre les habitants de BedZED et ceux de Beddington sont quasiment inexistants. Les BedZédiens travaillent à Londres et se rendent aussi dans le cen-

tre de la capitale pour leurs loisirs. Ils ne fréquentent Beddington que pour son église, son bureau de poste et son parc. De même, les habitants de Beddington ne se rendent que très occasionnellement à BedZED et ne connaissent pas ses habitants. L'implantation de l'écoquartier n'a eu, pour la très grande majorité d'entre eux, aucune répercussion sur leur vie quotidienne ; leurs pratiques économiques, sociales et écologiques n'ont pas changé du fait de la proximité avec l'îlot durable. Leur connaissance de l'écoquartier est d'ailleurs très limitée : il est perçu comme une entité écologique, les aspects sociaux et économiques qui fondent le concept sont souvent ignorés. L'influence de BedZED ne se fait donc pas sentir à l'échelle locale, malgré les velléités récentes de Bioregional de promouvoir le modèle One Planet Living dans le *borough* de Sutton.

- - - - - - - - - - - - - -

EN CONCLUSION

- - - - - - - - - - - - - -

BedZED est un îlot test de la durabilité, mais il semble que sa taille soit trop réduite pour expérimenter pleinement ce mode de vie durable. Les coûts très élevés de sa réalisation et l'absence de logique économique en font un quartier majoritairement accessible à des catégories sociales aisées, au détriment de classes plus populaires qui, à moins de prétendre aux logements sociaux, n'ont que peu d'espoir d'y habiter. BedZED apparaît alors comme un laboratoire où les pratiques, encore tâtonnantes, sont orchestrées par une association à la communication efficace qui veut en faire un modèle à exporter. En dépit de sa médiatisation, BedZED ne peut être transposé tel quel à une autre échelle et ne peut servir de modèle à la ville durable. Des exemples plus modestes et moins connus tentent de mieux concilier aspects écologiques, sociaux et spatiaux (par exemple, Auxerre).

BIBLIOGRAPHIE

Le Climat : risques et débats, dossier, Questions internationales, La Documentation française, n° 38, juillet-août 2009.

Publication du Comité des droits économiques, sociaux et culturels des Nations unies, ONU, 2001.

Rapport mondial pour l'éducation des filles 2003-2004, Genre et éducation pour tous, le pari de l'égalité, ONU, 2004.

Amat-Roze, Jeanne-Marie, « Santé de l'humanité, santé de la terre pour un développement durable », in Veyret, Yvette (dir.), *Le Développement durable*, Paris, Sedes, 2007.

Berque, Augustin, Bonnin, Philippe et Ghorra-Gobin, Cynthia (dir.), *La Ville insoutenable,* Paris, Belin, coll. « Mappemonde », 2006.

Blanchon, David, *Atlas mondial de l'eau,* Paris, Autrement, 2009.

Boulier, Joël et Simon, Laurent, *Atlas des forêts dans le monde*, Paris, Autrement, 2009.

Brunel, Sylvie, « Le dilemme croissance-environnement », in Veyret, Yvette (dir.), *Le Développement durable*, Paris, Sedes, 2007.

Brunel, Sylvie, *À qui profite le développement durable ?*, Paris, Larousse, 2008.

Brunel, Sylvie, *Nourrir le monde. Vaincre la faim*, Paris, Larousse, 2009.

Brunel, Sylvie, *Le Développement durable*, Paris, PUF, coll. « Que sais-je ? », 2e éd., 2009.

Charvet, Jean-Paul (dir.), *Nourrir les hommes*, Paris, Sedes, 2008.

Ciattoni, Anette et Veyret, Yvette (dir.), *Géographie et géopolitique des énergies*, Paris, Hatier, 2008.

Dauphiné, André, *Risques et catastrophes : observer, spatialiser, comparer, gérer*, Paris, Armand Colin, 2003.

Deboudt, Philippe, Dauvin, Jean-Claude, Meur-Férec, Catherine, Morel, Valérie, Desroy, Nicolas, Dewarumez, Jean-Marie, Dubaille, Étienne et Ghezali, Mahfoud, « 10 ans de démarche GIZC en Côte d'Opale : bilan et enjeux », in *Actes du colloque MEDD*, mars 2005.

Dorier-Apprill, Élisabeth (dir.), *Ville et Environnement*, Paris, Sedes, 2005.

Fontaine, J., « La Libye : un désert côtier riche en hydrocarbures et en eau », *Annales de géographie*, n° 589, 1996.

Frérot, Antoine, *L'Eau*, Paris, Autrement, coll. « Frontières », 2009.

Fritsch, Jean-Marie, « La crise de l'eau n'aura pas lieu », *La Recherche*, n° 421, juillet 2008.

Giraud, Pierre-Noël, *L'Inégalité du monde. Économie du monde contemporain*, Paris, Gallimard, 2008.

Godefroit, Sophie et Revéret, Jean-Pierre (coord.), *Quel développement à Madagascar ?*, dossier, *Études rurales*, n° 178, juillet-décembre 2006.

Griffon, Michel, *Nourrir la planète. Pour une révolution doublement verte*, Paris, Odile Jacob, 2006.

Leridon, Henri, « Six milliards... et après ? », *Population et sociétés*, Ined, n° 352, décembre 1999.

Leridon, Henri et Toulemon, Laurent, *Démographie. Approche statistique et dynamique des populations*, Paris, Economica, coll. « Économie et statistiques avancées », 1997.

Leridon, Henri et Lévy, Michel-Louis, « Populations du monde : les conditions de la stabilisation », *Population et sociétés*, Ined, n° 142, décembre 1980.

Lévêque, Christian et Sciama, Yves, *Développement durable : nouveau bilan*, Paris, Dunod, 2008.

Mérenne-Schoumaker, Bernadette, *Géographie de l'énergie*, Paris, Nathan, coll. « Géographie d'aujourd'hui », 1997.

Omnes, Marie-Hélène, *La Morue (Gadus morhua). Biologie, pêche, marché et potentiel aquacole*, Ifremer, 2002.

Percebois, Jacques, « Vers une nouvelle révolution énergétique », *Questions internationales*, La Documentation française, n° 24, mars-avril 2007.

Pison, Gilles, *Atlas de la population mondiale*, Paris, Autrement, 2009.

Salem, Gérard et Vaillant, Zoé, *Atlas mondial de la santé*, Paris, Autrement, 2008.

Sanjuan, Thierry, *Atlas de la Chine*, Paris, Autrement, 2007.

Vaguet, Yvette, « Les hydrocarbures, les villes et les hommes dans le Nord-Ouest sibérien », in *Actes du Festival international de géographie*, 2007.

Veyret, Yvette, *Géographie des risques naturels en France*, Paris, Hatier, 2004.

Veyret, Yvette (dir.), *Dictionnaire de l'environnement*, Paris, Armand Colin, 2007.

Veyret, Yvette (dir.), *Le Développement durable*, Paris, Sedes, 2007.

Veyret, Yvette et Arnould, Paul (dir.), *Atlas des développements durables*, Paris, Autrement, 2008.

INDEX

Les chiffres **en gras** renvoient aux chapitres, les chiffres *en italique* aux cartes

CRÉDITS CARTOGRAPHIQUES

p. 11 : *Atlas des développements durables*, dirigé par Yvette Veyret et Paul Arnould, cartographie de Cyrille Suss, Autrement, Paris, 2008.

p. 24 : *Atlas des développements durables*, dirigé par Yvette Veyret et Paul Arnould, cartographie de Cyrille Suss, Autrement, Paris, 2008.

p. 31 : Madeleine Benoit-Guyod.

p. 41, 43 : *Atlas de la population mondiale*, Gilles Pison, cartographie de Guillaume Balavoine, Autrement, Paris, 2009.

p. 49, 50, 53 : *Atlas de la Chine*, Thierry Sanjuan, cartographie de Madeleine Benoit-Guyod, Autrement, Paris, 2007, rééd. 2008.

p. 61 : *Atlas des développements durables*, dirigé par Yvette Veyret et Paul Arnould, cartographie de Cyrille Suss, Autrement, Paris, 2008.

p. 63, 68 : *Atlas de la santé*, Gérard Salem et Zoé Vaillant, cartographie de Cécile Marin, Autrement, Paris 2008.

p. 71 : *Atlas de l'Afrique*, Stephen Smith, cartographie de Claire Levasseur, Paris, Autrement, 2005, rééd. 2009.

p. 78, 79 : *Atlas des développements durables*, dirigé par Yvette Veyret et Paul Arnould, cartographie de Cyrille Suss, Autrement, Paris, 2008.

p. 91 : *Atlas des développements durables*, dirigé par Yvette Veyret et Paul Arnould, cartographie de Cyrille Suss, Autrement, Paris, 2008.

p. 99 : Madeleine Benoit-Guyod.

p. 107, 116 : *Atlas des développements durables*, dirigé par Yvette Veyret et Paul Arnould, cartographie de Cyrille Suss, Autrement, Paris, 2008.

p. 117 : *Atlas des forêts dans le monde*, Joël Boulier et Laurent Simon, cartographie d'Eugénie Dumas, Autrement, Paris, 2009, et Madeleine Benoit-Guyod.

p. 125 : *Atlas des développements durables*, dirigé par Yvette Veyret et Paul Arnould, cartographie de Cyrille Suss, Autrement, Paris, 2008.

p. 134 : Madeleine Benoit-Guyod.

p. 135, 138 : *Atlas des forêts dans le monde*, Joël Boulier et Laurent Simon, cartographie d'Eugénie Dumas, Autrement, Paris, 2009.

p. 145 : *Atlas mondial de l'eau*, David Blanchon, cartographie d'Aurélie Boissière, Paris, Autrement, 2009.

p. 153 : Madeleine Benoit-Guyod.

p. 165, 168 : *Atlas de l'océan mondial*, Jean-Michel Cousteau et Philippe Vallette, cartographie de Cécile Marin, Autrement, Paris, 2007.

p. 169 : Madeleine Benoit-Guyod.

p. 176 : *Atlas de l'océan mondial*, Jean-Michel Cousteau et Philippe Vallette, cartographie de Cécile Marin, Autrement, Paris, 2007.

p. 183 : *Atlas des développements durables*, dirigé par Yvette Veyret et Paul Arnould, cartographie de Cyrille Suss, Autrement, Paris, 2008.

p. 188, 189 : Madeleine Benoit-Guyod.

p. 199 : *Atlas des développements durables*, dirigé par Yvette Veyret et Paul Arnould, cartographie de Cyrille Suss, Autrement, Paris, 2008.

p. 208, 209 : *Atlas géopolitique de la Russie,* Pascal Marchand, cartographie de Cyrille Suss, Autrement, Paris, 2007.

p. 220 : *Atlas des développements durables*, dirigé par Yvette Veyret et Paul Arnould, cartographie de Cyrille Suss, Autrement, Paris, 2008.

p. 225 : Madeleine Benoit-Guyod.

Achevé d'imprimer en septembre 2011 sur les presses de l'imprimerie Corlet, S.A.,
à Condé-sur-Noireau, France, pour le compte des Éditions Autrement,
77, rue du Faubourg-Saint-Antoine, 75011 Paris. Tél. : 01 44 73 80 00. Fax : 01 44 73 00 12.
ISBN : 978-2-7467-1395-6. Dépôt légal : septembre 2011. Précédent dépôt : mars 2010.